大家小书

中国画的艺术

徐悲鸿 著
马小起 编

北京出版集团公司
北京出版社

图书在版编目（CIP）数据

中国画的艺术 / 徐悲鸿著 ；马小起编 . — 北京：北京出版社，2017. 1
(大家小书)
ISBN 978-7-200-12363-0

Ⅰ . ①中… Ⅱ . ①徐… ②马… Ⅲ . ①中国画—绘画评论—中国—文集 Ⅳ . ① J212.052-53

中国版本图书馆 CIP 数据核字（2016）第 191387 号

总策划：安　东　高立志　　　责任编辑：司徒剑萍
特约审读：杨良志

·大家小书·
中国画的艺术
ZHONGGUOHUA DE YISHU
徐悲鸿　著　　马小起　编
*
北京出版集团公司
北京出版社　出版
（北京北三环中路 6 号　邮政编码：100120）
网址：www.bph.com.cn
北京出版集团公司总发行
新华书店经销
北京华联印刷有限公司印制
*
800 毫米 ×1230 毫米　32 开本　6.875 印张　85 千字
2017 年 1 月第 1 版　2018 年 5 月第 2 次印刷
ISBN 978-7-200-12363-0
定价：38.00 元
如有印装质量问题，由本社负责调换。
质量监督电话：010-58572393

序　言

袁行霈

“大家小书”，是一个很俏皮的名称。此所谓“大家”，包括两方面的含义：一、书的作者是大家；二、书是写给大家看的，是大家的读物。所谓“小书”者，只是就其篇幅而言，篇幅显得小一些罢了。若论学术性则不但不轻，有些倒是相当重。其实，篇幅大小也是相对的，一部书十万字，在今天的印刷条件下，似乎算小书，若在老子、孔子的时代，又何尝就小呢？

编辑这套丛书，有一个用意就是节省读者的时间，让读者在较短的时间内获得较多的知识。在信息爆炸的时代，人们要学的东西太多了。补习，遂成为经常的需要。如果不善于补习，东抓一把，西抓一把，今天补这，明天补那，效果未必很好。如果把读书当成吃补药，还会失去读书时应有的那份从容和快乐。这套丛书每本的篇幅都小，读者即使细细地阅读慢慢地体味，也花不了多少时间，可以充分享受读书的乐趣。如果把它们当成补药来吃也行，剂量小，吃起来方便，消化起来也容易。

我们还有一个用意，就是想做一点文化积累的工作。把那些经过时间考验的、读者认同的著作，搜集到一起印刷出版，使之不至于泯没。有些书曾经畅销一时，但现在已经不容易得到；有些书当时或许没有引起很多人注意，但时间证明它们价值不菲。这两类书都需要挖掘出来，让它们重现光芒。科技类的图书偏重实用，一过时就不会有太多读者了，除了研究科技史的人还要用到之外。人文科学则不然，有许多书是常读常新的。然而，这套丛书也不都是旧书的重版，我们也想请一些著名的学者新写一些学术性和普及性兼备的小书，以满足读者日益增长的需求。

“大家小书”的开本不大，读者可以揣进衣兜里，随时随地掏出来读上几页。在路边等人的时候、在排队买戏票的时候，在车上、在公园里，都可以读。这样的读者多了，会为社会增添一些文化的色彩和学习的气氛，岂不是一件好事吗？

“大家小书”出版在即，出版社同志命我撰序说明原委。既然这套丛书标示书之小，序言当然也应以短小为宜。该说的都说了，就此搁笔吧。

论徐悲鸿的中国画观（代序）

刘曦林

中国画自进入了20世纪，对它的前途和总体认识发生了前所未有的重大分歧。在众多观点与流派中，一般习惯于把徐悲鸿看做与“保守派”对立的“改革派”，与“国粹派”对立的“西画派”或“融合中西派”，不能说没有道理，但这并不能准确地概括徐悲鸿对中国画的全部思想。为此，笔者翻阅了所能见到的徐悲鸿的文章，力求较为准确地把握其中国画观，尚不知与徐悲鸿贴合否？

一、徐论之“主脑”

继承、改进、引入、创造、复兴——我以为此十字可为徐悲鸿中国画观总体思想的概括。

自从1918年徐悲鸿发表《中国画改良之方法》一文，他自称的“吾论之主脑”——“古法之佳者守之，垂绝者继之，不佳者改之，未足者增之，西方画之可采入者融之”，千百次地被后人转引，成为代表其思想的千古名句。我以为，这只是徐悲鸿早期中国画观的概括，是其完整的中国画观的基础。此后再未见徐悲鸿本人重复这“主脑”，他在三四十年代又有了些新的说法，所论似更完整，但往往被后人疏略。

如，1933年，他在《中国今日急需提倡之美术》一文中，有“已往艺术之继承，现代艺术之改革，与未来艺术之创造”之说法，全面地论及于古、于今、于后的态度，笔者以为颇为重要，前述十字中的“继承、改进、创造”六字即从此说中来。

40年代，徐悲鸿大声疾呼复兴中国艺术的新艺术运动，复兴，成为其重要口号。如1943年在《新艺术运动之回顾与前瞻》中说：

> 倘文艺而不复兴，吾国此际艺人，何颜而立于人世乎？尚欲坚守四王灵幡，而抱残守缺乎？尚欲乞灵于马谛斯乎？尚欲借重八大山人之名，以掩饰斑点乎？噫嘻！

可见，复兴中国艺术的愿望是火一般在他心中燃烧着的。1948年，徐悲鸿发表《复兴中国艺术运动》一文，其宗旨已在题中鲜明地表示出来。此文开篇即言：

> 吾本欲以建立中国之新艺术为题，只因吾国艺术，原有光荣之历史，辉煌之遗产，乃改易今题。所谓复兴者，乃继承吾先人之遗绪，规模其良范，而建立现代之艺术。慰藉吾人之灵魂，发挥吾人之怀抱，展开吾人之想象，覃精吾人之思虑也。

其中谈到将“建立”改为“复兴”，虽易二字，但继承和复兴优秀传统的观点已决不同于割断传统论者，且“建立现代之艺术”一语，显见其现代观有自己的内涵。

徐悲鸿“热烈期待文艺复兴”，他希望“第一要立大志，要成为世界上第一等人，作出世界上第一等作品……千万勿甘心于一种低能的摹仿一家”，对于有光荣历史的中国画尤其期望于此。

所以，我认为徐悲鸿对中国画的主导思想，是不限于“守”，而是“复兴”；不限于对传统的批判、“改良”、

“破坏”，而志于创造与建设。他并不像陈独秀那样高喊“革命”，或者对传统痛快地批判一番了事。他作为一个实践的艺术家，知道古人的画里有多少宝货，所以他要“复兴”这艺术。虽然他和康有为、陈独秀一样地不满于现状，一样地主张引进西方的写实主义，但他的思虑远较政治家们实际。同时，他作为一位颇有号召力的艺术活动家、颇有权威的艺术教育家，其中国画观对于画坛产生了深刻影响。可以说，他是有志于复兴中国画，把古老的中国画推向现代的旗手。

二、徐悲鸿的传统观

当然，前述继承、改进、复兴诸语，尚不能代替徐悲鸿对传统中国画的具体分析，实际上他对中国画历史的分析之认真不下于专业的美术史家，只不过带有较多的画家的感情成分和艺术倾向罢了。其传统观总体上是批判、继承、复兴的态度，具体而言又有以下几点：

1. 唐宋高峰论

中国艺术之综合成就，所以溯及汉代，但从绘画而言，其复兴的标准在唐宋。这种观点，在 1918 年的《中国画改良之方法》中曾以这种方式进行表述：

> 中国画学之颓败，至今日已极矣！凡世界文明理无退化，独中国之画在今日，比二十年前退五十步（引者按，较之清末），三百年前退五百步（较之明末清初），五百年前退四百步（较之明代），七百年前千步（较之宋代），千年前八百步（较之唐代），民族之不振可慨也夫！

无论是正面论述的唐宋高峰论，还是反向的现状退步论，与康有为推崇"唐宋正宗"观点相同。徐悲鸿关于"中国画学之颓败，至今日已极矣"的判断也和康有为同，甚至文词都相似。（康曰："盖中国画学之衰，至今为极矣"；"中国画学至国朝而衰弊极矣"）这并非偶然的相似，代表了一种思潮、一种观念，对逃逸现实、袭古成风、片面强调写意的部分文人画家的不满，甚至于为此对海派艺术家虚谷、赵之谦、吴昌硕拓展文人画的成就有所漠视，正是由于他们提倡与文人写意相异的写实性艺术的观点，才引发了他们对唐宋写实画风的追怀。或者说，唐宋高峰论的实质，是对师法造化，注重写实，不事抄袭，注重创造的艺术作风的肯定与提倡。按照徐悲鸿的说法，“吾国自唐迄宋，为自然主义在艺术上最昌盛时代”，唐宋大家“咸感觉敏锐，故一切制作，皆美妙高雅”。当然，他崇尚的艺术，也并非惟唐宋论，关键在于是否有写实精神，所以他又说：“因为有写实功夫，方能做到空而能灵，否则便成空虚，所以只要保持写实精神，可不必问时代！”

2. 作家作品论

如果把徐悲鸿崇敬的画家和特别喜爱的作品列一个清单，一方面可做唐宋高峰论和崇尚写实精神的佐证，另一方面也看出他并非惟唐宋、惟写实，传统在他心中是一个无比丰富的世界。先将他崇仰的历代画家及扼要评语列于下（有着重号者为反复提及者）：

唐　　王　维——“在山水上自王维脱离印度作风建立真正之中国画”

　　　吴道子

　　　阎立本

　　　曹　霸

　　　周　昉

五代　周文矩

　　　荆　浩

董　源

徐　熙——花鸟一门“卓绝之人物”

李　成

李公麟

黄　筌

黄居寀

宋　易元吉

崔　白

赵　昌

赵　佶——“徽宗之画甚佳”

滕昌祐

（黄筌至滕昌祐）——花鸟一门“卓绝之人物”“直到现在全世界还没有他们的敌手”

李　唐

马　远——“黄贵雄强”

夏　圭

米元章

米友仁

（米元章、米友仁）——用“点”写山水，“实际比印象主义原理早七百年”

元　赵孟頫——“吾国历史上最大画家之一”

钱　选

明	沈　周——	“俱是巨匠，不言前人”（沈周、陆包山、仇英、周臣、陈老莲）
	陆包山——	
	仇　英——	
	周　臣——	
	陈老莲——	“天才卓绝”，“人物、花鸟、山水无所不工，而皆具其独有之体式，实近代画家惟一大师也”
	徐　渭——	“大胆纵横特破常格”；“为近世画之祖”
清	石　谿——	“三百年前之表现主义者”
	石　涛——	“才气洋溢，不可一世”；“独往独来，不守恒蹊”（石涛、朱耷）
	朱　耷——	
	金冬心——	“纯心艺论，二人已是不朽”（金冬心、郑板桥）
	郑板桥——	
	恽寿平	
	任伯年——	“近代画之巨匠，因当推任伯年为第一”；“中国近世最大画家”；“精心观察造物”；“举古今真能作写意画者，必推伯年为极致”；“仇十洲以后，中国画家第一人”；“翎毛花

卉，乃三百年来第一人”

近代　吴友如——“世界古今最大插图者之一”

齐白石

从以上这个不完备的名单，可以看出他崇敬的宋代画家最多，评论最多的是任伯年，与其唐宋高峰论和崇尚写实主义观点相合。但如果说他是惟唐宋论，惟写实论，则失之偏颇，他显然对可以称为中国印象主义的米元章父子，对称为中国表现主义的石谿，对独具风神的陈老莲，对特破常格的徐渭等文人画家有极高的评价，认为“写意”“实方术中最抽象者也”而无贬意。

再看他所特别热爱的作品：

人物画：

《醉道图》(阎立本)——“可以颉颃欧洲最高贵之名作”

《朱云折槛图》(宋)——“确实生动传神”

《八十七神仙卷》(宋)——“无一懈笔”，“其规模之辉宏，岂近代人所能梦见”

《采薇图》(李唐)——“发挥中国画之无上精神”“诚艺道之至”，与达·芬奇之耶稣稿等“同为绘画上之极峰”

《赵匡胤像》——“可比之世界任何高妙美术品人像”

山水画：

《谿山行旅》(范宽)——“中国山水画中第一”

《雪景》(李唐)——“笔法之高古，与气味之浑穆醇厚，诚不世出之杰作，为世界风景画中一奇”，“观察精微”，“笔墨从心所欲”

《北溟图》(周臣)——内容与形式“至美尽善”

《风雨归舟》(金农)——“古画中奇迹之一”

《长江》(夏圭)

《寨上》(黄公望)——“美哉，苍茫而浑厚，远近层次，微妙至此，信销魂之杰制”

花鸟画：

《桃花》(金农)——“未见其匹也”

《竹》(郑板桥)——“维持记录至于今日”

（以上二作）“并非如末世文人画之言之无物也。”

从以上作品评语，既见其对“观察精微”、“生动传神”、“言之有物”的写实主义的崇尚，亦可见其对艺术技巧“无一懈笔”、“笔墨从心所欲”的欣赏，总之认为这些作品“必形式与内容并跻其极”，“至善尽美”，“此皆伟大民族，在文化昌盛

北京出版集团公司
北京出版社

雄鸡木槿
140cm × 351cm 1942 年

大家小书

中国画的艺术

徐悲鸿 著　马小起 编

之际，所激起之精神，为智慧之表现也”。且徐悲鸿收藏国宝之不已热情，视藏画为“悲鸿生命”之高尚精神为众所知，甚至于说他是位颇痴情的国粹主义者也不为过，而那些自视为正宗的中国画家也不见得有几人能超过徐悲鸿的收藏，若因其提倡学习素描而诬之为虚无主义，冤哉！若因其曾有“改良”论而断定他认为中国画“不良”亦有些不公。

3. 文人画观

正如康有为、陈独秀为推行写实主义拿文人画开刀，鲁迅也对文人画持批评态度那样，在这个文艺思潮中的徐悲鸿对文人画在总体上持批判态度，特别是对他认为的末世末流文人画曾予以激烈的批判。如：

1918 年，他在《中国画改良之方法》中，主张“穷造化之奥赜繁奇”，深慨“则中国画尚为文人之末技，智者不深求焉，其有足存之道哉！”

1935 年说：“元四家为八股山水祖宗，惟以灵秀淡逸取胜，隐君子之风，以后世无王维，即取之为文人画定型，亦中国绘画衰微之起点。”（《故宫所藏绘画之宝》）

1943 年说：“中国科举制度，桎梏千年来无数英雄豪杰，其流弊所中，遂造成周遍的乡愿。绘画原是职业，从文

人画得势，此业乃为八股家兼职……竟至断送了中国整个绘画……”（《新艺术活动之回顾与前瞻》）

1947 年认为：“中国艺术没落的原因，是因为偏重文人画。”（《世界艺术之没落与中国艺术的“复兴”》）

徐悲鸿几乎与陈独秀不谋而合地首先将批判的焦点指向“八股山水”，指向董其昌和四王。他认为，抄袭之风由“董其昌开之”；“董其昌辈达官显宦”之作是“想不劳而获的投机分子的末流文人画”；“董其昌辈懒汉，专创作人造自来山水，掩饰低能”；“中国四王式之山水属于 Conventione(形式) 美术，无真感”；“到了四王，专意贩卖古人面目，毫无独创精神”；他在表示了对若干古代画家的崇敬之后，以对比的文法表示“瞧不起董其昌、王石谷等乡愿八股式滥调子的作品”。他太有感于中国山水画的没落，甚至说：“若有人尽量搜集三百年来之中国绘画，为一盛大展览，吾敢断定其中百分之九十二为八股之山水……其黑暗如此。”

读过以上徐悲鸿的论述，仿佛真切地感受到了中国画在审美观念转折的关头那种激情的论战气氛。这种批判在总体上是前进的，必要的，是高举着科学与民主两面大旗的“五四”新文化运动在美术界的具体反响。马克思曾经说过，“传统是一种巨大的保守力量”，在文化上同样，传统既是财富，也因其惰性成为新文化建设的障碍。从这个意义上说，只有极具新文化意识的人，才敢于触动那历史上的或者现时的偶像，才敢于破坏那历史的陈规，为新事物的建立扫清道路。当画坛把董其昌和四王特别是王石谷的画奉为最高权威，不容许人们说半个不好字，而事实上并不尽好时，那么对他的挑战将是必要的。从发展的历史观来看，“每一种新的进步都表现为对某一种神圣事物的亵渎，表现对陈旧的、日渐衰亡的、但为习惯所崇奉的秩序的叛逆。”（恩格斯《路德维希·费尔巴哈和德国古典哲学的终结》）

当然，徐悲鸿的文人画观，并不仅仅是对文人画的批判，他对文人画并不一概持否定态度。对董其昌视为文人画之祖的王维，徐悲鸿就说过：“王维的诗中有画，画中有诗那样高超的作品，一定是人人醉心的，毫无疑问。”也曾说过：“古之文人画，原有其高贵价值。不必征诸古远，即如冬心之桃花，未见其匹也。板桥画竹，亦维持记录至于今日。便无胸襟，纯以艺论，二人已足不朽。并非如末世文人画之言之无物也。”再回过头去看看他对米芾、陈老莲、石谿、石涛、八大的高度评价，他是打破了文人画的界限的。他批评的重点是明、清以来末世的末流文人画，特别指向是八股山水。就是对他在1935年曾一概斥之为“八股山水祖宗”的元四家，到了1944年，看到黄公望的《寨上》，情不自禁地欢呼“美哉”，“信销魂之杰制”之后，对元四家再也没有全部否定。

至于从艺术史的角度，从美学的角度，怎样更全面更准确地评价文人画，评价元四家、董其昌和四王，陈师曾在20年代就发表过专论，对文人画的艺术思想、艺术格调给予高度评价，实是文人画中以在转换中获得新生这一文化现象在理论上的反映。后人，直到今天的美术史论家，历史地肯定了文人画家不依附于正统封建统治所表现的反叛精神和个性解放意识，肯定了书法全面入画和文化修养对于绘画格调的意义，肯定了不以形似为鹄的意象造型的特殊价值；又有不少的史论家重新认识董其昌和四王艺术，肯定其笔墨上的贡献，形式构成上的价值，都是在现今需要全面整理和继承历史文化遗产的时代对文人画认识的深入，对民族绘画美学品格认识的深入。但也决不因此否定康有为、陈独秀、徐悲鸿当年对文人画的批判在历史上的进步意义。正如决不因今天对孔夫子的尊重，对新儒学的研究热而否定当年批判孔家店的历史意义那样，同一事物在不同历史情境中的不同遭遇，往往是不可避免的历史选择的结果。

这样，我们也便可以理解，徐悲鸿当年对中国画启蒙范本《芥子园画谱》的激烈批评，与批评抄袭仿古的文人画一样，也是改变中国画教学方法，培养活生生的视觉感觉所必要的做法，是推行写实主义艺术所必需。徐悲鸿认为，董其昌开抄袭之风，李笠翁以此投机心理出版《芥子园画谱》，害人不浅，大家都放弃了天赋的观察能力，“举世皆成冥顽不灵毫无感觉之现象，因致一切艺术皆落后退化”，它“扼杀了中国全部绘画”。今天的人们可能不会接受这种结论，因为它仍然可以作入门参考，但再也没有任何一个艺术院校将此作为惟一教材，写生成为主要教学途径，临摹也不再局限于画谱，这正是当年对《芥子园画谱》反思的结果。但如果仍然主张以《芥子园画谱》为惟一法门，徐悲鸿批评的那些弊端就会再度泛起，也难免不会出现对它的再反思和再批判。

4. 题材分论

徐悲鸿基于自己的艺术观点，对中国画不同题材门类的高下也有自己的看法。从总体上来看，他认为：“吾国最高美术属于画，画中最美之品为花鸟，山水次之，人物最卑。”

分论之，因花鸟画“保有写实精神为多”，故徐悲鸿认为“造诣确为古今世界第一位者，首推花鸟，”“花鸟之造诣自宋至今九百年，尚未见何邦足与颉颃者，”故称花鸟画是“世界艺术园地里，一株特别甜美的果树”。

他认为，中国的山水画，不仅独立成科早，而且是“人类创作中之一奇”，“确实有它的独到处”，因为画家们“皆能外师造化，中得心源”。但“没落了的八股山水，却成为一件坏东西了”！他认为，中国山水的精神为“自然主义”(Naturalism)“它不同古典、浪漫、写实等有积极精神的宗派，而含有惰性的作风”，道家，无为，“就是懒惰！缺乏斗争精神”！可见，他对山水画的不满意点，一是末世的八股作风，二是消极的避世态度。

徐悲鸿对中国人物画最为不满，故言“中国画在人物方面，成就并不太大”，惟写像之杰作不少。他批评现代绘画，也深慨人物画最为薄弱，甚至于解剖、比例、结构亦不会结合，此点最为切合时弊。

由以上徐悲鸿对传统中国画的诸种态度，如唐宋高峰论、近世退步论、八股山水没落论、末流文人画言之无物论、《芥子园画谱》害人论，及题材门类分论，我们看到了他反对八股，反对抄袭，反对守旧的鲜明立场，看到了他呼唤面对现实，呼唤写实主义，呼唤独创精神，复兴中国画艺术的强烈愿望，而这正是时代对中国画的迫切要求。无论时人、今人对其中国画观，尤其是文人画观有多少异议，也不能否认徐悲鸿对于推动中国画朝它自己的现代写实方向转换所作出的积极贡献。

也许至今，对徐悲鸿还会有两个方面的误会：或认为徐悲鸿不要传统，虚无主义，扼杀、摧残中国画，这显然是不公的；或认为他是百分之百正确的完人，不容怀疑，也不切合实际。正如笔者在前面所说，应该历史地看待历史，包括徐悲鸿之前的文人画史，徐悲鸿实践的现代画史，都应该持历史的观点予以实事求是的分析。无论如何，诚如徐悲鸿所言："吾中国他日新派之成立，必赖吾国因有之古典主义"；"我们有传统，亦有遗产，倘好好结合社会现象，则民族的中国美术，将有伟大贡献与世界！"

三、复兴中国画之具体主张

1. 深重的危机感

徐悲鸿立大志复兴中国画之光荣，首先建立在对现状的分析上。如前所述，他深感中国画"今不如古"，有近世颓败、退步之论，故深感危机。这种危机感他有如是说明：

> ……检讨吾人目前艺术之现状，真是惨不可言，无颜见人！（这是实话，因画中无人物也）并无颜见祖

先！……中国三百年来之艺术家，除任伯年、吴友如外，大抵都是苏空头，再不自觉，只有死亡！

1948年，《复兴中国艺术运动》

他甚至于把中国画的危机与民族的危机、国家的危机联系在一起，其责任感甚为深重。虽然郑振铎先生等对近世艺术有不同评价，但人物画的衰落和文人画的仿古风亦是难以掩饰的事实。徐悲鸿把问题看得很重，甚至于过重，正是他极力呼吁中国画的缘由，也是他针对性地提出以下具体措施的出发点。

2. “学之独立”

徐悲鸿认为，与西洋画比较，“西方画乃西方之文明物，中国画乃东方之文明物，”中国画自有其独特美学价值，这是“学之独立”的第一层意思。当他慨叹中国画变为文人之末技时，意在不使画成为附庸风雅的闲事，而应该视之为一种严肃的学问，一种画学，这无疑是复兴中国画的最基本的立场，也是“学之独立”最重要的一层意思。这无疑是针对当时流行选择附庸风雅的文人余事，也针对那些浅尝辄止而自命不凡的名利之徒，正像今天所大量存在的那样，糟蹋中国画的大有人在。今日重看徐悲鸿的作品，几乎无不感到他的创作态度是那么认真、严肃，他的作品言之有物，有对形式的至美的追求，有对精神内涵至深的开掘，他本人就是一位把绘画当做学问来深入研究的真正的艺术家。

3. “惟妙惟肖”与写实主义

徐悲鸿在论述中国画改良之方法时，首先谈到这个问题：

> 画之目的，曰：惟妙惟肖。”妙属于美，肖属于艺。故作物必须凭实写，乃能惟肖。待心手相应之时，或无须凭实写，而下笔未尝违背真实景象，易以浑和生动逸雅之神致，而构成造化偶然一现之新景象，乃至惟妙。然肖或不妙，未有妙而不肖者也（前曾作《美与艺》，可参阅之）。妙之不肖者，乃至肖者也。故妙之肖为尤难。

我以为，这“妙之肖”即前人所谓“不似之似”，“妙之不肖者，乃至肖者也”即所谓“不似之似为真似”之谓。极少数天才，可以由不似、由妙入手，但对绝大多数从艺者来说，由肖而妙，由似而及不似是必然的道路。所以徐悲鸿提倡的写实，是为妙境铺垫的写实，非以写实为最高目标。

如果认为徐悲鸿是惟写实主义者，将是极大的误会。但如果不从写实，写生，造物出发，他不能救治那因袭的八股陈风，因此，从写实主义出发，进而写意，求妙，才能复兴中国画的优良传统，使新中国画建立在坚实的写生基础之上，也只有更直接地面对血肉的人生，才能使中国画特别是人物画建立在更典型的现实生活的土壤之中。

4. 从人物入手

徐悲鸿说："振之道无他，以人之活动入画而已。""吾人努力之目的，第一次以人为主体，尽量以人的活动为题材，而不分新旧。"其出发点，一是缘于对中国古代绘画"拙人生"故"人物最卑"的看法；二是缘于现时中国画"画中无人物"，甚至于无一肖像画家，画人物则结构毛病百出的现状；三是缘于他对人，对人生的认识，缘于他积极进取的人生观。他不同意中国人的"万物平等观"，而倾向于西洋人的"人为主体观"，他认为"人是支配宇宙的主人翁"。他讲真善美三原则的时候，他主张"至美尽善"的时候，认为"善"就是"体会人生"，他本人就是一位悲天悯人的具有忧患意识和批判精神的民主主义者，就是一位关注人生、关注现实，持有积极进取的人生观的艺术家，他要"穷造化之奇，探人生之究竟”，而不是现代的隐士，不是舍生活而殉梦的空想主义者。所以，他那些古代题材的人物画也总是隐喻和折射着现实。他认为，“人物画是现实的，山水画为超现实的”，“残山剩水，枯木竹石，此以人生言之，已如槁木死灰，无复有活趣……故吾人必须先把握现实，乃可高谈理想，否则，全是阿Q，凭胡说过瘾而已”！而这种入世观、现实观，正是20世纪的人生观，注重于人物画，也是20世纪的文艺思潮。从这个意义说，现代人物画的翻身，蒋兆和、叶浅予、李斛等人物画家的出现，是时代的产儿，而现代人物画的催生婆、呼唤现代人物画的旗手则首推徐悲鸿。

与以人物画相关的是，他还主张将裸体引入中国画艺术，他强调肌肉活动及筋与骨的活动，不仅是为了正确地表现出人体的结构关系，还在于揭示人的生命活力。正如他所说：“因为靠著那几根骨头，那几根筋之活动，吾人方有饭可吃，有酒可饮，有生可乐，而有国可立。”

5. 物质材料之改良

徐悲鸿认为，中国画与西洋画同其价值，但“西方物质可尽术尽艺，中国之物质不能尽术尽艺，以此之故略逊”。尤其“生纸最难尽色，此为画术进步之一大障碍”。因为他认为元以后文人画“既鲜丹青”，而主张复兴唐宋之写实传统时，也是复兴中国的丹青传统，故认为“欲尽物形，设色宜力求活泼”。后来他又提出“彩墨画”说，把色与墨放到同等重要的位置上，这也是对“水墨至上”的传统审美观念的反拨。虽然后人对“彩墨画”这一称谓有不同看法，但加强色彩的表现力，使色彩这种最大众的视觉形式发挥出应有的张力，作为中国画进一步现代化的重要课题是毫无疑问的。当然这不仅涉及生宣的问题，也涉及颜料的制作和使用问题。在时下，颜色的质量日见低劣已与色彩的运用量日见加大形成一种非常尴尬的悖论，而日本画却在色彩的表现和颜料的制作上取得了成功，这不能不是我们值得反思和重视的课题。

6. 融入外来艺术

如前所述，徐悲鸿主张以写实主义为基础，以人为主体，注重色彩表现，重视物质材料等等观点，基本上是以西洋美术为参照系，体现了“西方画之可采入者融之”的开放的观念。其中，尤以素描方法及其造型观念的引入为著，但这也遇到了格外多的麻烦。

以“素描为一切造型艺术之基础”，在北平艺专国画系一、二年级设素描课曾招致了教授罢课，而成为“倒徐运动”

的导火索。但徐悲鸿的本意并不在于素描这个起点，而在于师法造化的造型能力的培养。所以，他又有“写生为一切造型艺术的基础”的新提法，我以为是更为恰当的。可以说，没有素描的坚实功底和写生能力，就没有徐悲鸿、蒋兆和、李斛的人物画，没有李可染的山水画，没有现代中国人物画的繁荣。徐悲鸿说，从叶浅予、宗其香、蒋兆和等诸人之作，“感觉到中国画可开展之途径甚多”。其中一条途径是西方素描造型语言与中国笔墨造型语言的化合，这条途径提高和丰富了中国画特别是人物画的表现力，并成为中国画现代变革的重要流派之一。有人说，徐悲鸿、蒋兆和的道路是一条“不太成功的道路”，试问当时的人物画又有哪一条成功的道路造就了徐悲鸿、蒋兆和这样的大师？这样的观点几乎不值得反驳，他不知道起码的现代美术史常识。

20 世纪 50 年代发生了素描教学大辩论，叶浅予主张以白描中国画的造型基础，蒋兆和也主张以白描为基础并提出适当吸收西洋素描学因素建立中国画自己的造型基础课教学体系。我认为他们并不是背离徐悲鸿的主张，而是一种深入和拓展，是对中国画特点认识的深入，也是对素描认识的深入；是对徐悲鸿学派的拓展，因为在师法造化这一本质上与徐悲鸿是一致的，与徐悲鸿认为“中国画可开展之途径甚多”这一观点是吻合的。徐悲鸿本人的素描有中国风，他的人物画强调线描勾勒的表现力，他画马、画花鸟，笔墨的表现有丰富的发挥，他清楚中国画的本性和独特价值的所在，他不是摧残了中国画，而是拓宽了中国画，他说过：“至于外来艺术并不反对，但不能消灭自己的本性，才是发扬真正中国艺术。”

徐悲鸿不是全盘西化论者，他只是主张“西方画之可采入者融之”，而对不可采入者是坚决不融、水火不容的。尤其对西方现代派。我想，从中国的艺术当时需要写实主义，艺术的进程也正处在引进西方写实主义的阶段上，对真伪混杂的西方现代派的排斥是历史的选择。对这一问题同样需要历史地分析，如果当时的中国艺坛不是以写实主义为切入点，我们中国今天的油画和中国画就不会有这样好的写实基础。

当我们今天以研究的态度正视西方现代派艺术，甚至于给予相当的宽容的时候，不要忘记这也是新的开放条件和新的审美需求赖以存在的历史条件变化的产物。当有的艺术家因为徐悲鸿反对现代派而将其列入“历史的罪人”时，他起码忘记了文化现象和大文化背景的密切联系，忘记了任何一个国家和民族的现代艺术观都有自己的特定的与之相应的形式和内涵。更何况，徐悲鸿并不惟写实是从，他认为“写实主义太张，久必觉其乏味”，“置之至者方能写意”亦是他的目标，米元章式的“印象主义”，石谿式的“表现主义”，写意之“抽象”性，也为他所激赏。诚然，他曾经不无偏激地把马蒂斯称为“马踢死”，但他1934年评论王悦之的画时，认为“特多创格”，“高出法国时新派多多，国人舍家鸡而爱野鹜，若欲在马蒂斯前顶礼者，何不对此下跪”。在这里，他还是称马蒂斯为马蒂斯，并且表示了相当的宽容。1943年评杨善深画展时说，“顾欧洲自十九世纪以来各派起，精神与形式并重，画境益拓”，可见，他对欧洲艺术的变化并非无动于衷，只不过他反对那些“废弃寻常形式或废弃正常精神”，“画境太奥”的作风，和我们一样地反对以驴子尾巴代笔罢了。

我并不尽然同意徐悲鸿对西方现代派的判断，但我和他一样反列以驴尾巴的表演代替艺术家的思考，甚至于我处在他那个时代，未见得不比他更保守。他相对那些激进的艺术家可能显得保守，但他绝对比那些僵化的艺术家开明。我甚至于还想到，在上世纪五六十年代那个极左的时代，徐悲鸿很可能被戴上“形式主义”的帽子，因为他说过：“绘画乃形与色之表现”，还说过“内容者，往往属于‘善’的表现。而为美术者，其最重要之精神恒属于形式，不尽属于内容”。他曾经表示过：“一个人宁愿当豆腐店老板，不要当大银行的伙计，因为老板有主张，有自由，才谈得上表现。”他是多么理解艺术，理解艺术家！

总体来看，徐悲鸿的中国画观，是一笔丰富的遗产，是一套完整的艺术思维而值得进一步深入研究，他复兴民族艺术的愿望像不熄的火焰灼烧着我们，他那开放的、前进的艺术主张永远激励着我们完成他未竟的课题，把中国画，把整个中国美术推向更新的里程。真理高于一切，但真理又是在实践中发展的，我们不必要把他视为完人，不必要把他的话句句看做真理，当他表示要“一意孤行”时，可能隐含着情感的冲动和偏激。但他是一位真理的追求者，他永远高于那些只怕犯错误，只怕丢了饭碗的唯唯诺诺的思想懒汉，他是一个大写的人。

2003 年 9 月

（原载《世纪丰碑：新世纪首届徐悲鸿学术研究讨论会论文集》，本次刊载略有删改，并经作者再审。）

编者说明：配合着徐悲鸿先生的文论，我们选入了他七十余幅中国画，大略以年代先后为序，便于读者在领悟他的主张的同时，对他中国画作的实践也能进一步了解。

2016 年 8 月

目 录

评文华殿所藏书画

各国虽起自部落，亦设博物美术等院于通都大邑，俾文明有所展发。国宝罗列，尤其珍重，所以启后人景仰之思，考进化之迹。独我中华则无之。可慨叹也！而于东方美术代表之国家，其衰也，并先民之文物礼器，历史之所据，民族精神之所寄之宝物，悉数而丧之，使靡有孑遗焉，不尤可痛耶！吾往来南北，所见私家收藏古件可万计，佳者固夥。但生民憔悴，居吾旁者复以重利相啖诱，其存也亡也未可必。且嗜古之士，大抵均昔日治东方学者之遗继，自今收藏家子弟得与乃祖乃父同其笃好乎？自未可知，自可为物危也。虽然，吾后起者倘有幸能以世界之美术物饫我印象，以世界之自然物扩我心志，有所凭焉，讵患不能自立！特吾古国也，古文明国也，十五世纪前世界图画第一国也，衰落至一物无存焉，不当引为深耻耶？嗟何术矣！愿与吾同志发奋自振，请从今始。

戊午三月，与画法研究会诸同志观清之文华殿古书画，以鄙见评之如左。

最佳者：徐熙《九鹑》卷，惠崇《山水》卷，黄筌《鹰逐画眉》立幅，李相《山水》，林椿《四季花鸟》卷，赵大年《春山平远图》，赵子昂《山水》卷，张子正《花鸟》册，实父《仙山楼阁》，朱纶翰《松鹤》大幅，郎世宁《白鹰》，徐扬《山水》，东坡《治平帖》。

次佳者：苏汉臣《婴戏图》，龚圣予《钟馗懋迁图》，李龙眠《山庄图》卷，郭熙《记碑图》，王蒙《山水》，钱舜举《洗象图》，云林《山水》，沈石田《山水》幅，金廷标《山驿图》，董（其昌）临范氏（中立）及巨然（作品），恽（南田）画菊，智永《千文》。

南唐徐熙画《九鹑图》卷，精工妙丽，其结构天然，设色浑逸，笔力复遒劲。凡用作写花鸟之长，于彼一无遗缺，宜乎冠绝千古，无人抗衡者也。凡鹑之喙、之目、之羽、之足，逼近真鹑，无少杜撰，而于俯仰、瞩啄、飞翔诸势，尤运匠心，臻乎妙境。其草木野花衬托之物，亦皆精意摹写，如干之劲，叶之灵，草之柔，花之简，雅而不繁，非其全才谁能至，此为全璧！不可思议。

五代黄筌《鹰逐画眉》幅，精神团结，情态逼真，虽无款识，诚非黄筌莫能作也。其趣视徐熙略异，徐尚工雅，黄尚简劲，二者相衡，莫能轩轾。本幅以鹰之疾转，厥状恣厉，为最得势。画眉趋避危急，毕具哀鸣之态。其小树枯草，均以焦笔出之，允称丛驱，此则尤难能可贵者也。其鹰眼之疾，翅之劲，画眉之喙爪之瘦，阅者均不可忽意失之。

宋惠崇《山水》卷，浑秀极矣。其画派在当时殆独创。凡作平原而悉渚岸萦回之势之花木水石错杂辉映之韵，他人莫之逮也。惠崇僧也慧矣，有御者题诗，尚不恶，此尤为画幸也。

李相无赫赫之名，其画则绝佳。本幅层峦叠嶂，气极雄古，远近皴点分明，可师法也。其笔既妙，其景尤佳。山势盘旋而上，直抵云顶；山径曲折，约略可指；悬瀑幽壑，间以石梁。近处则长松挺秀，古雅无伦。山人群集，如无怀、葛天之民，悠然怡乐。房屋界画尤精，巨石横亘水际，状奇丑尽致，水流清泓，似可掬而饮也。

林椿《四季花鸟》，工研极矣。宋人作画，其布置最精，故虽毫点厘画略无板刻意。唯其工细，故花瓣之倾侧，叶之反正，蕊之娇，蒂之固，其态乃毕现。而鸟羽之郁丽，及分配布置，乃能悉合美理，靡有缺憾。今人以刻画为工，失之远矣。

赵大年画，彼中有二幅，一卷一立轴。卷柔曼无足奇，直系赝物。轴则春山平远，葱郁润逸，观之神往。此非专持笔墨之精到，亦景之妙致之也。古人写山水，恒不计景物之佳否，即纵情挥写，其成也如一张杂乱之山水木石标本，有何美趣足以动人？如此画木之疏，望之远，水之清，山之秀，对之心旷而神怡焉，不可贵哉！贺履之先生以为未必真迹，吾则不以姓名为重也。

元赵子昂《山水》卷，工雅典丽，得未曾有。景物幽逸，画笔灵巧，不愧大家。清流激湍，数人据一廊，濯足其间，群松迤逦，大田万顷，青绿交辉，云山霭黛，真奇制也。

张子正《花鸟》册，写生入神，其鸟其花，虽以简笔出之，而工致独绝。此其功力之深，不可凡及，非如李复堂辈漫无纪纲，瞎画妄涂者比也。（此册今不在，乃前所见也。）

明仇十洲《仙山楼阁图》，以仅尺余之笺，作楼阁连亘，椽缆如丝，人仅若蚁，真神工也。云山缥缈，亦极有韵致，惜为俗人打满俗图章，画损色不少。

清朱纶翰指画大幅《群鹤松图》，伟丽空前，莫与伦比。笔法极苍润，设色极浑雅，吾前未之见也。群鹤游适极自然，泉石最佳，旷古莫能作者。松以最近数株为极则，左边略远者，略嫌未尽善，松针亦未分疏密隐现，为微瑕可惜也。

郎世宁以意大利教士来东夏无端，遂以画名，以其欧法施诸我脆弱之纸绢，能愉快运用，诚称不易。唯意大利此时拉斐尔出，彼不能传其长，以贡献吾华，非其忠也。吾见彼画可十余幅，其精到诚非吾华人所及，所欠者华画宜有韵耳。今之欧画已完美至极度，但彼时尚未也。所悬《灵芝献瑞图》大幅，壮丽独绝。白鹰立岩上尤骄纵可喜，泉水潺潺若闻其声。紫藤系于松上，婀娜新鲜，为最耐寻味之点。其余若草若石，均俟改良。芝极佳。松本太屈曲，然其画法佳也。

徐扬画精极，有清一代画山水者独盛，而未有一人特过前人，兹有之，其维徐扬乎？画悬于清之文华殿者，若徐扬之作，亦足使人满意矣。本幅为大帧山水，结构极精，云山苍苍，尤足辟前人稀有之境，其石古，其山峻，其水活，其树郁而理，其人简而雅，其景宽而幽，其气雄而厚。清之山水，吾鲜取，然得此一帧，足使人无憾矣。

苏书固佳，此《治平帖》真佳绝。钟张二王之真迹不可见，但使彼重作《治平帖》上数字，恐未定过长公也。在南见陈希夷真迹，来北则见此《治平帖》，可以餍足悬望矣。

苏汉臣《婴戏图》，设色极雅。所作小孩，未能竭天真烂漫之态，其工洁足多耳。

龚圣予《钟馗懋迁图》，殊诙诡可喜。小鬼百十，无一不神情毕具，而于数鬼打幡扛物之态，尤杂乱可笑，开滑稽讽世画之先矣。树木结构均佳，山略嫌未逮。

郭熙画所见不多，此《访碑图》殊秀且健，人马至工整可法，赑屃负碑亦挺拔，古木森然，树瘿剥落均有致，但树法变化太少，为微憾耳。

王蒙为元四大家之一，后人崇拜至于极，所见真迹亦夥，但终嫌彼胸中丘壑太多，淋漓满纸，未能尽当也，顾其笔墨无可议。

钱舜举花鸟可继徐、黄，人物亦佳。凡工花鸟而又能精人物者，为至难能之事。《文殊洗象图》，绝清雅，可传也。

李龙眠《山庄图》卷，绝工细，有神采，水亦佳妙。白描良不易，可传也。

云林《山水》在其中者，均非精品，古木竹石尤不真，山水幅略有意耳。

沈石田之画本在仇、唐之下，但兹山水幅，绝清奇可喜。

恽画《南竹石》幅，秀气夺人，可爱也。

金廷标画本不雅，然殊有力量。用写作石角嶙峋则甚合，其山驿驴夫拉扯之状殊入神，诸人夫及驴亦绝佳。吾人论画当就画立论，不必以人举画，以人废画，为艺外人之言也。然则此画可贵矣。

智永《千文》极茂密奇整，某跋以为学钟太傅，则殊附会。其书实出自右军，若谓右军亦出太傅，彼直远绍之，何不径谓之远绍中郎哉？是宜清界限也。

鄙人所见陈列物之佳者止于此，香光有数件颇佳，但彼之书画均薄弱少力量，画略秀，书则孱弱尤不堪，不足称也。

徽宗之画甚佳，若其书，直野狐禅。近人常以篆笔作草书（如吴昌硕），以散氏盘作北朝今隶（如李瑞清）自矜，真可叹也。盖各体中笔意变化，已不可思议，尚何待从他处假借，势必至如今日姜妙香之道白，半粗音半细音，极难听而后止，而所篆者复不篆也。此意，吾侪学者应知之，毋为所惑。（若各体并精者，是有相喻忘形之处，然高妙如邓石如尚未逮，他人岂许冒充。）

阅古人作物，一见即奇异，或叹所见不如所闻，此为第一天性。若待人述或已默想其历史之妙点，然后相喻，此为第二天性。凡学者宜先以古人与今人一较，再与自己一较，今人尤可及，自度以终不可及，再细审彼作品中有独到，使人不可及之处，如此一衡，彼之价值与己之价值均出。今人之所以不及古人者，以其己身本来未设想，或预备一位置也。吾人幸毋蹈此自弃之恶性，则或有进化之机乎。

1918 年 5 月

注

1918年5月5日，北京大学画法研究会导师徐悲鸿、贺履之、冯汉叔三人，率领会员二十三人赴文华殿参观所藏书画，上午10时入殿，至下午1时半参观完毕。悲鸿对于所见书画评论甚多，该文据《画法研究会纪事第十五》一文所载。

（原载1918年5月10日、11日北京《北京大学日刊》）

诸老图

147cm × 58cm　早期

西山古松柏

85cm × 51cm　1918 年

岁寒三友

115cm × 45cm　1919 年

三马图
90cm × 174cm　1919 年

竹
59cm × 47cm　1919 年

中国画改良之方法

中国画学之颓败，至今日已极矣！凡世界文明理无退化，独中国之画在今日，比二十年前退五十步，三百年前退五百步，五百年前退四百步，七百年前千步，千年前八百步，民族之不振可慨也夫！何故而使画学如此其颓坏耶？曰惟守旧；曰惟失其学术独立之地位。画固艺也，而及于学。今吾东方画，无论其在20世纪内，应有若何成绩，要之以视千年前先民不逮者，实为深耻大辱。然则吾之草此论，岂得已哉！

一、主旨与例

凡美之所为感动人心者，绝不能离乎人之意想。意深者动深人，意浅者动浅人。以此为注脚，庶下之论断，为有根据。例如：中国画山水，西人视之不美；西方金发碧眼之美人，中国老学究视之不美。刘洪升之歌谭迷深者不之美。王蒙、倪迂等之画，文人视之美，北碑怪拙吾人能得其美。上海月份牌，浅人视之美。欧洲之名画，中国顽固人意中以为照相，则不之奇。西方画有绝模糊者，吾人能解其美。凡寓意深远，艺复卓绝者，高等人类视之均美。吾今特以下列各例，充吾论之主脑。古法之佳者守之，垂绝者继之，不佳者改之，未足者增之，西方画之可采入者融之。

二、学之独立

夫画者，以笔色布纸，几微之物，而穷天地之象者也。造化之奥赜、繁丽、壮大、纤微有迹象者，于画弥不收，故须以慧眼人竭毕生之力研究之。

中国画在美术上，有价值乎？曰：有！有故足存在。与西方画同其价值乎？曰：以物质之故略逊，然其趣异不必较。凡趣何存？存在历史。西方画乃西方之文明物，中国画乃东方之文明物。所可较者，唯艺与术。然艺术复须借他种物质凭寄。西方之物质可尽术尽艺，中国之物质不能尽术尽艺，以此之故略逊。

顾吾以此难施人力之物质，而欲穷造化之奥赜繁奇。人三年而艺成，我则须五年焉。人作一画五日可成，我则需八日，或十日焉。而所形容万物之情，无少异。则中国画尚为文人之末技。智者不深求焉，其有足存之道哉！

三、改良之方法（学习·物质·破除派别）

画之目的，曰“惟妙惟肖”。妙属于美，肖属于艺。故作物必须凭实写，乃能惟肖。待心手相应之时，或无须凭实写，而下笔未尝违背真实景象，易以浑和生动逸雅之神致，而构成造化，偶然一现之新景象，乃至惟妙。然肖或不妙，未有妙而不肖者也（前曾作《美与艺》，可参阅之）。妙之不肖者，乃至肖者也。故妙之肖为尤难。故学画者，宜摒弃抄袭古人之恶习（非谓尽弃其法），一一按现世已发明之术。则以规模真景物，形有不尽，色有不尽，态有不尽，均深究之。

中国画通常之凭借物：曰生熟纸，曰生熟绢。而八百年来习惯，尤重生纸。顾生纸最难尽色，此为画术进步之大障碍。而熟纸绢则人以为易为力，复不之奇。又且以为绢寿只八百，纸只二百年，重为画惜，噫！异矣。夫人习画，于生纸绢也成需六七年，且恐未必臻乎美善。熟者五年，色与形已俱尽。徒矜凭物之难，不计成绩之工拙，则戴臼而舞耳。焉用之！

且斤斤于纸绢寿之长短尤愚可哂。不知物之不良，已无保存之价值，八百年后存在问题，又胡须早筹？此与鸦片烟鬼偃起之求长生者同一陋见也！（按中国绢纸，至今日均坏极。纸则茧制者已无，绢亦粗脆光滑不可用。倭制甚精，故其画日进弥已也。）

笔与色尚足用。今笔不乏佳制，色则日渐粗矣！鄙意以为欲尽物形，设色宜力求活泼。中国画中凡用矿色处，其明暗常需以第二次分之，故觉平板无味。今后作画，暗处宜较明处为多。似可先写暗处，后以矿色敷明处较尽形也。

人类于思想，虽无所不至，然亦各有其性之所近。故爱写山水者，作物多山水；爱人物花鸟者，即多人物花鸟；性高古者，则慕雄关峻岭长河大海；性淡逸者，则写幽岩曲径平树远山；性怪僻者，则好作鬼神奇鸟异兽丑石癞丐。既习写则必有独到。故吾性之何近者？辄近于何作之古人。多观摹其作物以资考助，固为进化不易之步骤，若妄自暴弃，甘屈陈人之下，名曰某派，则可耻孰甚！且物质未臻乎极善之时，其制作终未得谓底于大成，可永守之而不变。初制作之见难于物质者，物质进步制作亦进步焉！思想亦然：巧思之人，必不能为简单之思想所系动，矧古人简约，必有囿于见闻者。今世文明大昌，反掩明塞聪而退从古人之后，何哉？撷古人之长可也！一守古人之旧，且拘门户派别焉不可也！今以各类尽应良之点述之如次。

四、风景画之改良（云·树·平地·房屋；余论山·石·雪·影）

天之美，至诙奇者也。当夏秋之际，奇峰陡起乎云中。此刹那间奇美之景象，中国画不能尽其状，此为最逊欧画处。云贵缥缈，而中国画反加以勾勒。去古不远，比真无谓，应改作烘染。

中国画中，除松、柳、梧桐等数种树外，均不能确定指为何树，即有数家按树所立之法，如某点某点等，终不若直接取之于真树也。尤宜改节，因中国画中所作之树节，均凹瘢者，无瘿凸者，树状全失，允期必改。其余如皮如枝，均当一以真者作法。

中国画之地最不厚，以纸绢脆弱不堪载色也。古今写地最佳者，莫若沈南苹。南苹工写土石，小杂野花，且喜点苔，故觉醇厚有气味。盖彼固得力乎写生者也。

宋人界画，本极工，但只有两面，若作斜面，则远近高低如一，去理太远。近人吴元和改正之。今已无守古法者，虽为可喜，实则今已无工界画者矣。

吾国古今专讲究山水，故于山石各家皆有独到处，但各家胸中丘壑逸气均太少耳。如李思训写北京之山，必层峦叠嶂，直造纸末。王蒙亦如此。倪元林则淡淡数笔，远山近树而已。为丘壑者必叠床架屋，满纸丘壑，不分远近，气势蜿蜒，直到其顶，胸中直具丘壑。为逸气者，日向水渚江边立，两眸直随帆影没，而无雄古之峰，郁拔之树。夫峰也树也，岂有碍逸气哉！直遁辞耳。（倘登泰山观沧海，而从侧面作一图，舍山乎抑舍海乎？两不可舍为技不已穷乎！）

吾国写山水者，恒喜写雪，不如雪中可游而乐，最不宜写而观者也。若必欲逞逸兴，亦须点染得法，从物之平面上积雪，毋从不积雪处漫积之斯得矣。远山尤宜注意。

中国画不写影，其趣遂与欧画大异。然终不可不加意，使室隅与庭前窗下无别也。（参阅结论）

五、人物画之改良

尝谓画不必拘派，人物尤不必拘派。吴道子迷信，其想象所作之印度人，均太矮，身段尤无法度，于是画圣休矣！陈老莲以人物著者也，其作美人也，均广颔，或者彼视之美者，吾人则不能苟同。其作老人则侏儒，非中国之侏儒也，乃日本之侏儒。其人所服则不论春夏秋冬，皆衣以生丝制成之衣，双目小而紧锁，面孔一边一样，鼻旁只加一笔，但彼固非立法者也。后人愿抛弃良智而死学之，与彼何异哉！

夫写人不准以法度，指少一节，臂腿如直角，身不能转使，头不能仰面侧视，手不能向画面而伸。无论童子，一笑就老；无论少艾，攒眉即丑。半面可见眼角尖，跳舞强藏美人足。此倘不改正，不求进，尚成何学！既改正又求进，复何必云皈依何家何派耶！

附录

近人常以鄙画拟郎世宁，实则鄙人于艺，向不主张门户派别，仅以曾习过欧画移来中国，材料上较人略逼真而已。初非敢自弃绝，遂以浅人为师。且天下亦绝无可以古陈人之撰造而拘束自己性能者。矧郎世宁尚属未臻完美时代之美，艺人谓可皈依乎哉！日后鸿且力求益以自建树，若仅以彼为指归，则区区虽愚自况，亦不止是幸！同志诸君察焉，悲鸿谨启。

1918 年 5 月

注

1918年5月14日下午5时，北京大学画法研究会请导师徐悲鸿在本会演讲《中国画改良之方法》，到有会员十五六人，由5时直讲到7时半始毕。1918年5月23日至25日的《北京大学日刊》在《画法研究会纪事十九》文中发表了演讲的全文及悲鸿《附录》，1920年6月北大《绘学杂志》转载该文时，改为《中国画改良论》，并删去《附录》。该文是根据《北京大学日刊》所载全文。

（原载1918年5月22日至25日北京《北京大学日刊》）

渔　父
91cm × 57cm　1926 年

竹 石

66cm × 36cm　1928 年

持剑钟馗

122cm×65cm　1928 年

狮

53cm × 86cm　1930 年

《齐白石画册》序

夫道以中庸为至，而固含广大精微。昧者奉平正通达温顺良好为中，而斥雄奇瑰异者为怪。其狂者则以犷悍疾厉为肆，而指气度雍容者为伪。互相攻讦，而俱未见其真者也。艺有正变，唯正者能知变，变者系正之变，非其始即变也。艺固运用无尽，而艺之方术，至变而止。例如瓷本以通体一色纯洁无瑕为极品，亦作者初愿所期望。其全力所赴，若形式之完整无论矣，如釉泽之调和，精密配剂不虞其他也。即其经验所积，固已昭然确凿审知也，不谓以火率先后之差，其所冀通体一色，纯洁无瑕之器，忽变成光怪陆离不可方物之殊彩。拟之不得，仿之不能，其造诣盖出诸意料以外者，是固非历程之所必有，收效之必善，顾为正之变也。恒得此境，要皆具精湛宏博之观，必非粗陋荒率之败象，如浅人所谓似是而非之伪德也。

白石翁老矣，其道幾矣，由正而变，茫无涯矣。何以知之？因其艺至广大，尽精微也！之二者，中庸之德也。真体内充，乃大用外腓，虽翁素称之石涛，亦同斯例也。具备万物，指挥若定，及其既变，妙造自然。夫断章取义，所窥一斑者，必背其道。慨世人之徒袭他人形貌也，而尤悲夫尽得人形貌者犹自诩以为至也。

辛未年六月悲鸿序

（《齐白石画册》上海中华书局 1932 年 7 月出版）

故宫所藏绘画之宝

历史上稀有之物，辄号曰“国宝”。吾国立国五千年，具国宝资格之品物，应有不少。顾不肖子弟，不自珍惜，百年以来，或遭豪夺，或受利诱，辗转迁移，流落于他邦，成为他人国宝者，吾之所见，已不下千百事。反观吾国所遗，所谓文物之宝，如画，如书法，或吉金刊石之属，人视为国宝者，世已不得会观。此次中英艺展，不佞忝为专门委员，与邓以蛰先生同在故宫博物院上海堆栈审查书画二百余件，颇得纵观之乐。《大公报》索为短文，爰举个人感想，叙其优劣。不佞见解偏执，或不独得四王同乡人之同意也。

中国人自尊之画为山水。有两国宝，已流落日本，一为无款之郭熙画卷，一为周东村《北溟图》。中国所有之宝，故宫有其二：吾所最倾倒者，则为范中立《溪山行旅图》。大气磅礴，沉雄高古，诚辟易万人之作。此幅既系巨帧，而一山头，几占全幅面积三分之二。章法突兀，使人咋舌！全幅整写，无一败笔。北宋人治艺之精，真令人拜倒。

一为董源《龙宿郊民》设色大幅。峰峦重叠，笔意与章法之佳，不可思议，远近微妙，赋色简雅。后人所为青绿，肆意敷陈，不分前后，莫别彼此者，当知所法。郭河阳有四幅，其山林一帧，清音遐发，不同凡响。

马远多幅，仅《华灯侍宴》足观。夏圭《西湖柳艇》，写傍水生活，美极矣！其处理舟楫菱苇，乱而理，熟而稳，色尤和谐，信乎其为杰构也。

此外，若李唐《雪景》，李迪《风雨归牧》，及无名氏《溪山暮雪》俱佳。尤以阎次平之《四乐图》，岩石之勾皴法，树木之挺秀，俱戛戛独造，别开生面。惜后人无嗣响者。至巨然大幅，似非真迹。

花鸟乃吾国美术精诣，亦两宋人绝业，其杰作若林椿《十鹊》，生动天然，作风尤高妙。其布局于聚散飞止各态，极见经营之工。崔白双勾《风竹与鸬鹚》，确是杰构，可爱之至。

赵昌《四喜》，虽无林抚之雄奇，而特为秀逸。又鲁宗贵《春韶鸣喜》，确是佳幅。至徐熙、黄筌、元吉、黄居寀等巨子，此次未有出品。

宋徽宗画，故宫藏者，吾未见之。皇帝大画家，乃世界少有。其大名世多知之者，当以佳幅出陈，以餍众望。赵孟頫乃吾国历史上最大画家之一，惜故宫无其作品。元四家为八股山水祖宗，唯以灵秀淡逸取胜，隐君子之风，以后世无王维，即取之为文人画定型，亦中国绘画衰微之起点。此次有吴仲圭《洞庭渔隐》，尚有浑重气概。黄子久画，为恶札所毁。唯高克恭《雨水》，略多滋味，较一味平淡之倪高士画为胜。

明人画，自推仇十洲《秋江待渡》为第一。图写人物树木山水，层次井然，洋洋大观，无一懈笔，但非表情之大结构。就画而论，不亚于流落日本之《春夜宴桃李园》一图。如此功力，使人敬佩！

明宣宗写《壶中富贵》，殊为精能。唐寅《暮春林壑》，确见独创作风。陆包山《支硎山图》，作法巧妙，此公为画中最巧之手，而又不流于熟者也。

若陈老莲，若石涛、石谿、八大等怪杰，俱当时流亡之人。如“破碎山河颠倒树，不成图画更伤心”等句，如何不令当时战胜征服之君主所注意。所以此类杰人作品几濒绝迹。至对八股式庸俗模仿抄袭之作品，等之自桧以下，不足置论。鄙意以为送三四件以备一格可矣。

自来中国为画史者，唯知摭拾古人陈语，其所论断，往往玄之又玄，不能理论。且其人未尝会心造物，徒言画上皮毛笔墨气韵，粗浅文章，浮泛无据。此次多见真迹，可订正盲从之。又此次无人物，曾建议取宋太宗像（皆中国画中大奇）陈列。此为世界首出之华贵像。前乎此者，莫与伦比也。

（原载 1935 年 4 月 13 日天津《大公报》）

九方皋
139cm × 351cm　1931 年

日长如小年

80cm×47cm　1931 年

松 鹤
82cm × 47cm　1931 年

牧童和牛

95cm × 178cm　1931 年

白描人物

47cm × 25cm　1931 年

《张大千画集》序

夫独往独来，啸傲千古之士，虽造化不足为之囿，唯古人有先得我心者，辄颠倒神往，忍俊不禁。故太白天人，而醉心谢朓，透纳（Turner）画霸，独颂赞罗郎（Lorrent）。此其声气所通，神灵感召，有不知其所以然者。大千以天纵之才，遍览中土名山大川，其风雨晦冥，或晴开佚荡，此中樵夫隐士，长松古桧，竹篱茅舍，或崇楼杰阁，皆与大千以微解，入大千之胸。大千往还，多美人名士，居前广蓄瑶草琪花，远方禽兽。盖以三代两汉魏晋隋唐两宋元明之奇，大千浸淫其中，放浪形骸，纵情挥霍。其所挥霍，不尽世俗之所谓金钱而已，虽其天才与其健康，亦挥霍之。生于二百年后，而友八大、石涛、金农、华嵒，心与之契，不止发冬心之发，而髯新罗之髯。其登罗浮，早流苦瓜之汗；入莲塘，忍剜朱耷之心。其言谈嬉笑，手挥目送者，皆熔铸古今；荒唐与现实，仙佛与妖魔，尽晶莹洗练，光芒而无泥滓。徒知大千善摹古人者，皆浅之乎测大千者也。壬申癸酉之际，吾应西欧诸邦之请，展览中国艺术。大千代表山水作家，其清丽雅逸之笔，实令欧人神往。故其《金荷》藏于巴黎，《江南景色》藏于莫斯科诸国立博物院，为现代绘画生色。大千蜀人也，能治川味，兴酣高谈，往往入厨作羹飨客，夜以继日，令失所忧。与斯人往来，能忘此世为20世纪上帝震怒下民酣斗厮杀之秋。呜呼大千之画美矣！安得大千有孙悟空之法，散其髯为三千大千，或无量数大千，而疗此昏聩凶厉之末世乎？使丰衣足食者不再存杀人之想乎？噫嘻！

丙子年三月

（原载《张大千画集》上海中华书局1936年11月出版）

历史画之困难

顷读陈先生《田横五百士之我见》一文，征引繁博，甚有见地。不佞最欢迎此类指教。惜未在成画之前，得友博雅之君子，如陈先生其人者，多所指教。但亦有鄙见陈述，并非文过，陈先生当能鉴之。

大抵一切艺术品之产生，皆基于热情。考据自不可忽，但止于相当深度，故有文艺复兴威尼斯名画家范乐耐是（Paul Veroness）者（世界最大画家之一），全以当时（16 世纪）衣冠铠甲，写历史画。如亚历山大王入大卢氏波斯王宫等，且成名画。此则以不耐考据，因帝王行动，宫殿景色，既考必须全套，便只有束手不画，其画中情感充实，主旨已达，千古读画者，亦谅其意。

追近世考古之学既昌，各大邦都会博物院，日臻美备。一事一物，皆得实像依据，顾 19 世纪英国拉斐尔前派一群画家，几如黄山谷作诗，无一字无来源。其画之结果，乃貌合而神离，全不是那回事。

此非谓重考据，便定不获佳画，唯徒具优孟衣冠，必非作家目的，可断言也。

人之生活，有常与非常之别。社会状态亦然。如生活之常，则日作夕息，而古亦有夜行者。士大夫正其衣冠，尊其瞻视，便南洋习见束发之印人，或冠或不冠，要之须理发整，但统率机关，忽在一时召集之，则必有甫在冲凉叩裳匆匆而赴，或在梳栉，亦是必有之现象。而北人须髯为较稀疏，西南夷亦然（今所习见者）。至于唐阎立本以下所写之画，何能作完全之依据。且不佞虽陋，何至昭昭在人世之物，都未之见，陈先生想亦信之。

不佞十年前工作此图时，曾与胡小石先生及黄季刚先生商服饰，胡先生即以张惠言所著之书（书名已想不起）见授。其中记载，视陈先生所征笔者，尤为详尽，顾俱无实物可证。余反复玩索武梁祠、孝堂山诸石刊，方知古人所云无裤之谬，仅必束其管而已。而衣冠为士大夫之常冠，赤舄则贵人服之，诗已述及。而深衣其袖前窄后宽，必为可据。不佞所加于想象生于周末之秦人田横者如是。至于衣色之深红，与佩剑，皆便宜吾全画之调和与沉郁之情绪而设，初无依据也。

且严格之考据，艺术家皆束手。盖缁衣之宜兮，缁色何从来，矿质乎，抑植物质乎，距郑较远之吴越有之否？此皆挂一漏万之困难也。且如陈先生所征引之古籍记载，即请先生画出田横赴窦婴之席，旁坐灌夫之人将相三公大概衣饰，完全据依载籍从事，不佞必信陈先生将束手无策。此言其困难也。况流亡之社会，诸色人等，贵贱老少男女悉集。即令柯达公司已有代理在当年东海，亦有画中演剧者，是日适穿错了衣服机会。故指摘刺谬，乃必然有之问题与文章，画家虚心接纳此等批评，乃艺术家原有之态度。而真正问题，究不在是也。倘陈先生肯定画中人应穿何种衣服，具图具色见示，更所欢迎。

方不佞之兴也，由于蒋剑人《咏田横五百英雄》一诗，尤在其“海云岛树郁苍苍”一句，中国画上，无沉郁之格，余欲令全幅入于沉郁，而人人有殉义之气，故必须有赋色之自由，题曰五百士，而画中实三十余人，此便不能责断画中人格之贵贱。且田横五百士中，无一著名者，此即如吾抗战死难之烈士，多寻常人。而衣冠之士大夫，往往就职傀儡，大略同也。陈先生所谓“齐人之贤者……”，行文固可，说理则不必要也。故“攘臂露胸……”譬之高跟女鞋，目的达到，何必深究理由。凡此既非笑话，亦非文过之饰词，盖所谓困难也。至于服饰器用，就令完全考出（天下所无之事），尚有身经北纬几度海岛中究竟有些什么植物等问题，则今人对于正古人之动作所发生之情绪，恐将全乖。画家倘欲牺牲此点（不比戏剧可用多种动作完成），宁可不画之为愈矣！陈先生能思及此，度必首肯。

秦李二君之批评拙作《九方皋》文，曾未之见，二君于不佞，缺乏善意，故无一辩之价值。拙作较成功者，至今尚以《九方皋》为第一。惜知音不多（当然有之，并为真正之知识阶级），因其必欲视为历史画也。虽《田横五百士》，亦不宜以历史画看。因五百士之历史，只有“自杀”二字，此旨微妙。唯如陈先生者，当能喻之。而陈先生文中“……不从汉则应从秦或从周”之论，正犯着为考据者共同之病。陈先生细心一想，当必哑然失笑也。宁不知杂乱无章之俗语乎。

兹再将鄙画中所有各物一一书列如下，并无遗漏。

冠。皆有缨，冠之用为使发不散乱（见《左传》子路濒死之语）。武梁祠画者多前突，至朝鲜乐浪出大汉画，皆较小。其时其地最近，故为依据。至陈先生所谓冠，尚祈为图详告。

剑。古时皆铜剑，今尚多存者。唯鞘之制，与佩剑之式，只能出之想象，倘有确实可据之图，甚望见教（唐以后物不要）。

衣。深衣，如田横所服。破衣，如流亡诸壮士所服；其所破之程度，与破在何处，如何而至于破，则出之想象。绿衣，见《诗·卫风》。

袧。裹头用者，友人曾示我以《后汉书·舆服志》，谓秦时有之。

裳。画中两妇人服之。

短衣。《汉书》“通儒服。汉王（高祖）憎之，乃变其服，服短衣”。

裤。武梁祠石刊。

舄。如横所着。

履。孟子：“巨履小履同价，人岂为之哉。”只黄衣士穿一破履。难识其精确之状。至于长靴，倘入鄙画，必更遭物议。

带。据张惠言书。

其外无据者，如乘马（古者乘舆）具有鞍及缰绊，以应画用，纯出杜撰。幸陈君谅我不提，因画舆便无表情，且我在右端需一暗白色，此外便无他物。

故谓鄙画完全无据，幸友人张罗得些故实如此，供我抒情之用。自谓粗足。若必欲吹毛求疵，问哪位何故赤脚，不佞非不能答，其答词，或者使人将笑得肚痛，或者使人太难过，是以免。

（原载1939年4月20日新加坡《星洲日报》）

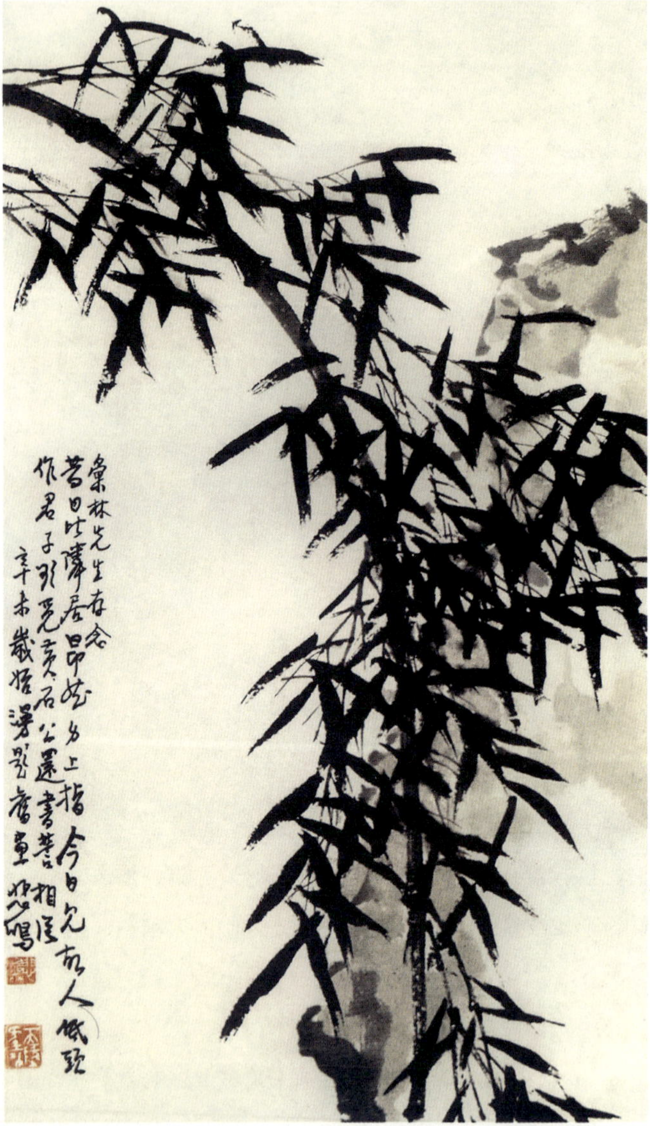

山 竹

80cm × 46cm　1931 年

为谁张目

85cm × 52cm　1931 年

病鹤诗意图

82cm × 48cm　1932 年

鱼 鹰

39cm × 41cm　1932 年

虬枝

109cm × 110cm　1932 年

美术漫话

一切学术有一共同目的，曰：追寻造物之真理而已。美术者，乃真理之存乎形象、色彩、声音者也。音乐为占时间之美术，当非本论之范围。兹篇所论，专就造型美术，阐明其意。造型美术，亦分为两途：一曰纯正艺术，即绘画、雕型、镌版、建筑是也；一曰应用艺术，亦曰工艺美术，乃损益物状，制为图案，用以美化用具者也。

吾人在立论之始，应于题之本身，定一解说。中国今日往往好言艺术，而不谈美术。艺术者仅泛指术之属乎艺事而已。美术者，顾名思义，则为艺术者，不徒能之而已，盖必责之其具有精意，于人之精神，有所发挥，故其学术，因欲奔赴此神圣“美”之一目的。于是在同一物事上，各人得自由决定其形式，又利用一形式，求一适合之内容，以赴其所期望理想之美。而其精神，亦必为所探讨之真理。所谓形式内容，不过为作者所用之一种工具而已。

内容者，往往属于“善”之表现。而为美术者，其最重要之精神，恒属于形式，不尽属于内容。如浑然天成之诗，不必定依动人之题，反而如画虎不成，则必贻讥大雅。故美术恒有两种趋向，一偏于善（则必选择内容），一偏于美（全不计内容）。偏于善者，其人必丰于情绪；偏于美者，其人必富于感觉。各有所偏，各有所择。顾美术上之大奇，如巴尔堆农之额刊，如米开朗琪罗之《摩西》，如多那太罗之《圣约翰》，如拉斐尔之《圣母》，如提香之《下葬》，如鲁本斯之《天翻地覆》，如丢勒之《四使徒》，如伦勃朗之《夜巡》，如委拉斯开兹之《火神》，如吕德之《出发》，如康斯太布尔之《新麦》，如透纳之《落日》，如门采尔之《铁工厂》，如罗丹之《加莱义民》，如夏凡纳之《神林》，如列宾之《伊望杀子》，如倍难尔之《科学效真理于大地》，如达仰之《迈格理女》，如康普之《非雪忒》，如勃郎琼之《码头工》，无不至善尽美，神情并茂。比之中国美术中，如阎立本之《醉道》，如范中立之《行旅》，如夏圭之《长江》，如周东邨之《北溟》，无不内容与形式，美善充乎其量。孔子有“美而未尽善”之说，故人类制作，苟跻乎至美尽善，允当视为旷世瑰宝，与上帝同功者也。

善之内容可存而弗论，至其所以秀美之形式，颇可得而言。盖造物上美之构成，不属于形象，定属于色彩。而为美术之道，舍极纯熟之作法以外，作者观察物象之所得，恒注乎两要点，其表现之于作品上，亦集中精神于此两点。所谓色彩，所谓形象，皆为此两点之工具而已。

此两点为何？曰性格，曰神情。因欲充实表现性格之故，爰有体，有派；因欲充实表现神情之故，爰有韵。

美术之起源，在模拟自然；渐进，则不以仅得物象为满足。恒就其性之偏嗜，而损益自然物之形象色彩，而以意轻重大小之，此即体之所产生也。

派者，相习成风之谓。其所以相习成风，皆撷取各地属之特有材料，形之于艺事，成一特殊貌者也。所谓性格者，即刚强、柔弱、壮丽、淡泊、冲和、飞舞、妙曼、闲雅等，禀赋之殊异或竟相反也。故须以轻重、巨细、长短、繁简之术应之，所以成为体也。

神情在人则如喜怒哀乐，妙机其微，艺之高深境地，其所以难指者以其象之变也。其于物情，则如风雨晦冥，皆变易其寻常景象，要在窥见造化机理，由其正而通其变，曲应作者幽渺、复赜、广博、浩荡之襟怀思绪。此艺事之完成，亦所以为美术也。

至于工艺美术，其要道在尽物材之用：愈能尽物材之用者，为雅；愈违物材之用者，为俗。雅俗之分，无他道也。

（原载 1942 年 3 月 1 日重庆《读书通讯》第三十七期）

新艺术运动之回顾与前瞻

中国科举制度，桎梏千年来无数英雄豪杰，其流弊所中，遂造成周遍的乡愿。绘画原是职业，从文人画得势，此业乃为八股家兼职。凡文化上一切形式，苟离其真意，便成乡愿，八股当然为乡愿之正式代表；于是真正画家，被贬为不受尊敬之工匠。王维脱离印度作风，建立纯粹之中国画，却不料因其诗名，滋人忘念，泽被千年，竟致断送了中国整个绘画。天下切事理之循环，往往如此，不可不深长思也。

夫人之追求真理，广博知识，此不必艺术家为然也；唯艺术家为必须如此，故古今中外高贵之艺术家，或穷造化之奇，或探人生究竟，别有会心，便产杰作。但此意境，与咬文嚼字无关。中国千年来，以文章取士，发明八股，建立咬文嚼字职业，不知若仅仅如此，亦低能中之颇低者也。此段空论，似与艺术无关，但真正艺术品之产生，与夫文化史上大杰作之认识，必须具此精湛之思想，否则必陷于形式一套，欲希望如汤之《盘铭》，所谓德之日新又新，必不可得也。

中国艺术史，极少划时代之运动。如欧洲之浪漫主义、印象主义，等等。但南宋既亡，院体随绝，隐逸之士，多写山水，仍绍王维之绪，如元代诸家。明虽不振，但天才辈出，如沈石田、仇实父、陆包山及陈老莲，俱是巨匠，不让前人。顾董其昌借其名位，复是大收藏家，于是建立一种风气，乃画家可不解观察造物，却不可不识古作家作风与派别，否则便成鄙陋。此则不仅以声望地位傲人，兼以富厚自骄，恶劣极矣。于是遂有四王，遂有投机事业之《芥子园画谱》。此著名之《芥子园画谱》，可谓划时代之杰作。因此书出版，乃断送了中国绘画。因其便利当时披靡，八股家之乡愿学画，附庸风雅，而压低一切也。

吾于此方入正题。若有人尽量搜集三百年来之中国绘画，为一盛大展览，吾敢断定其中百分之九十二为八股之山水。其中有极为稀少之人物画。此外若冬心、板桥、石谿、八大、石涛、瘿瓢等作品，合占百分之七八而已，其黑暗如此。

古之文人画，原有其高贵价值。不必徵诸古远，即如冬心之桃花，未见其匹也。板桥画竹，亦维持记录至于今日。便无胸襟，纯以艺论，二人已足不朽！并非如末世文人画之言之无物也。夫有真实之山川，而烟云方可怡悦，今不把握一物，而欲以笔墨寄其气韵，放其逸响，试问笔墨将于何处着落。固有美梦胜于现实生活，未闻舍生活而殉梦也。虽然，中国文人舍弃其真感以殉笔墨，诚哉其伟大也。

太平天国之后，上海辟作洋场。艺术家为糊口计，麇集其地。著名画家如任渭长、阜长兄弟，与渭长之子立凡，尤以中国近世最大画家任伯年生活工作于此，为足纪。诸人除立凡以外，皆宗老莲。尚有吴友如为世界古今最大插图者之一，亦中国美术史上伟人之一。若吴昌硕、王一亭亦皆受伯年熏陶者也。

艺术家树立新风，被诸久远。而学校之设立，亦为传播艺事之工具。其开风气者，如南京之高等师范所设之艺术科，今日中央大学艺术系之先代也。至天主教之入中国，上海徐家汇，亦其根据地之一。中西文化之沟通，该处曾有极珍贵之贡献。土山湾亦有习画之所，盖中国西洋画之摇篮也。其中陶冶出之人物，如周湘，乃在上海最早设立美术学校之人。张聿光、徐咏青诸先生，俱有名于社会。张为上海美术学校校长，刘海粟继之。而刘尤为蔡元培、叶恭绰诸氏所赏识，其画学吴昌硕、陈师曾，亦模仿法国女画家 Rosa Benheus 作品。汪亚尘画金鱼极精，设新华艺术学校，亦上海艺术家集合之中心也。

18 世纪意大利米兰人郎世宁，曾为乾隆供奉。以西洋画画于中国素绢上，渲染精细，颇倾动一时。迨民国以来，故宫珍藏开放，郎世宁作风，又一番被模仿，但限于北京。北京虽易民国，而生活一切未改变。民国初年，画家之著者，如陈师曾、金拱北皆在是。而国立艺专于以设立。厥后齐白石，亦卜居西城，中国老画家之最有近代气氛者也。

南中以广州为最富庶，故多应运而生之杰。中国洋画家之老前辈，当首推李铁夫，今年七十余，其早年所写像，实是雄奇。惜乎二十年来，以吃茶耗其时日，无所表见。新兴之折中派，以高剑父、奇峰兄弟及陈树人先生为首，世称岭南三杰，所作以花鸟居多。此风自明林良以来已然，今益光大，俊杰辈起，克昌厥派。而潮州尤多才艺之士，其前途未可量也。

中国自身之革命，苏联之革命，世界之两次大战，皆在此三十年中。各国为所掀起之文艺波澜，自不一致。但其最显著之事实，乃民族思想之尖锐化。此在大同主义实现以前，各文化特质之一番精滤，而吾国绘画上于此最感缺憾者，乃在画面上不见“人之活动”是也。

吾所期于人之活动者，乃欲见第一、第二肌肉活动及筋与骨之活动。管他安置在英雄身上或豪杰身上，舟子农夫固好，便职业强盗亦好。因为靠着那几根骨头，那几根筋之活动，吾人方有饭可吃，有酒可饮，有生可乐，而有国可立。这种活动，在画面上，宽衣大袖，吊儿郎当之高人，是不参加的。

我只求画中人身体上哪几个部位活动，颇不注意他的社会阶级。有许多革命画家，虽刊画了种种被压迫的人们，改变了画风，但往往在艺术本身，无何等贡献。

有此观察，艺术家职责方无可躲避；有此观察，艺术家方更有力量；发掘自然之美，而吾国传统之自然主义，有继长增高的希望。中国前代典型之文人即日少一日，则其副业之文人画只余残喘。但吾非谓艺术家同当导于茫昧，胸无点墨，而退出文人以外也。相反的，艺术家应更求广博之知识，以美备其本业，高尚其志趣与澄清其品格。唯不甚需咬文嚼字之低能而已。

抗战改变吾人一切观念，审美观念在中国而得无限止之开拓。当日束缚吾人之一切成见，既已扫除，于初尚彷徨，今则坦然接受，无所顾忌者，写实主义是也。而国际画商大组织投机事业之法国达达派、德国表现派、意大利未来派、日本二科，等等，在中国原立足不稳，今尤遭受大打击，不再容留于吾人脑海中。此类投机分子，三年来销声匿迹，不再现形于光天化日之下。战争兼能扫荡艺魔，诚为可喜，不佞目击其亡，尤感痛快。而当日最为猖獗之法国巴黎，命运如此，亦使人发深省也。

图案美术，本为吾国文化上光荣之一。唯革命以还，吾人之生活方式，迄不得一当。礼乐既坏，器用大窳。抗战之后，吾人将知此后如何生活。经济问题，必得将安定，则此类装饰生活之具，势须创制或改进，无可疑者。吾国之漆器，光明不远，因有沈福文君工作。吾国之陶瓷，吾国之织物，必将再现先人光烈。因吾国今日固不乏卓绝之专家从事于此也。

开发西蜀，汉人之奇迹出现于世，新津出土之汉代浮雕，乃中国美术上无上之奇。画家与雕刊家，俱于此得导师，豁然获见吾族造型艺术上之原有精神。简朴而活跃，可称世界美术中最具性格之作。若成都省立博物馆中十余大片之汉石刊，与华西大学不少汉塑，皆昔人绝未寓目之珍品。吾人对之固无异18世纪末年 Pompeii 及 Herculaneum古城之发现，而奠定欧陆洛可可后之古典主义也。抑吾壮烈之抗战史实，既足以激荡吾人之灵魂，而吾先民之伟制，适于同期出世，昭示吾人其阔大雄奇作风。倘文艺而不复兴，吾国此际艺人何颜而立于人世乎？尚欲坚守四王灵幡，而抱残守缺乎？尚欲乞灵于马蒂斯乎？尚欲借重八大山人之名，以掩饰斑点乎？噫嘻！

中国艺术家当前之危机，厥为生活艰难，自昔已然，于今为烈。作家资艺谋生，多所贬节。而初学者，亦图急功近利，无远大抱负。政府只知迁就事实，守着有饭大家吃的政策，不肯毅然有一显明之褒贬，可云遗憾。

油绘在中国，已建立健全基础，倘此群作者，再吸孔墨老庄马陶李杜等人所制之乳，便不难将 Awaro Kideshevara 变成送子观音，明眸皓齿，家家供养。

中国之新雕刻家，俱无良好健康，而小品太不发达，极为憾事。因条件不可强致，且自动之工作，方为艺术家正常生活工作。惜诸公未留心 Janogra myrina、汉人、北魏人、隋唐人之作俑者，活泼天真也。

吾于是想念木刻名家古元。彼谨严而沉着之写实作风，应使其同道者，知素描之如何重要。总而言之，写实主义，足以治疗空洞浮泛之病，今已渐渐稳定。此风格再延长二十年，则新艺术基础乃固。尔时将有各派挺起，大放灿烂之花。

（原载 1943 年 3 月 15 日重庆《时事新报》）

松 鹰

83cm × 78cm　1933 年

荷 花

69cm×50cm　1934 年

西天目山老殿
110cm × 108cm　1934 年

新生命活跃起来

113cm × 109cm　1934 年

鹰 石

252cm × 62cm　1934 年

双　猫

113cm×54cm　1934 年

颟 顸

113cm×54cm　1934 年

中国艺术的贡献及其趋向

中国艺术对世界的贡献，我们自己倒似乎不大在意，而在欧洲各邦以及敌国日本的学者却对之异常关切，深为赞美。其最简单的原因是中国艺术的发展早于欧洲一千多年；当中国艺术已经达到成熟圆满的时期，欧洲的艺术还是萌芽襁褓之际。但仅有悠久的历史也不一定有光辉的成就，又好在中国地大物博，天赋甚厚，西有嵯峨接天的雪山，东临浩渺无涯的沧海，有荒凉悲壮的大漠长河，有绮丽清幽的名湖深谷，更有许多奇花异草，珍禽怪兽。艺术家浸沉于这样的自然环境，故其所产生的作品，不限于人群自我，而以宇宙万物为题材，大气磅礴，和谐生动，成为十足的自然主义者，和欧洲文明的源泉古希腊的艺术，恰好是一个显明的对比：希腊艺术完全在表现人的活动，不及于“物”的情态，这种倾向的影响在西方既深且久，所以欧洲至今仍少花鸟画家，而多人像画家。

中国艺术在汉代已经达到很高的水准，且汉代艺术可算是中国本位的艺术，其作品正所谓大块文章，风格宏伟，作法简朴。最近在四川出土的汉代石刻画，其中有一幅是一个人以树枝戏猴，姿态极其自然生动，具有最大的艺术价值，确是一件杰作，可见当时的中国艺术已能充分发挥自然主义的精神。不过从后汉到唐代，约有六百余年，中国艺术受了印度的影响，尤其是佛像画，大多感染了印度的作风，已看不出汉画的精神。这时的题材也较偏重于理想的宗教画和人物的故事画，甚少对自然的兴感。直到大诗人王维出世，才建立了新的中国画派，作法以水墨为主，倡“画中有诗，诗中有画”，成为后世文人画的鼻祖，也完全摆脱了印度作风的束缚。

也许我们不免羡慕欧洲文艺复兴时期的光辉灿烂，可是他们直到 17 世纪还极少头等的画家，也没有真正的山水画。而中国在 8 世纪就产生了王维。王维的真迹现在已成为绝响，但他的继起者如范宽、荆浩、关仝、郭熙、米芾诸人，现在还留有遗迹，如故宫所藏范宽的一幅山水，所写山景，较之实在的山头不过缩小数十倍，倘没有如椽的大笔，雄伟的魄力，岂能作此伟大画幅！又如米芾的画，烟云幻变，点染自然，无须勾描轮廓，不啻法国近代印象主义的作品。而米芾生在 11 世纪，即已有此创见，早于欧洲印象派的产生达几百年，也可以算得奇迹了。

中国自然主义的绘画，从质和量来看，都可以占世界的第一把交椅。这把交椅差不多一直维持到19世纪，欧洲才产生了几位伟大的风景画家，能够把风雨晴晦、朝雾晚霞表现得非常完美。过去中国所能做到的，他们已能用另一种面目来完成；而我们自己，倒反而贪恋着前人的成就，逐渐消失了对自然的兴感和清新独创精神！

可是中国的花鸟画，在世界艺术的园地里还是一株特别甜美的果树，也许因为中国得天独厚，有坚劲而纯洁的梅花，飘逸的兰草，幽秀的水仙，这些在世界上都要算奇花异卉，为他国所无；而又确实能表现中国艺人的独特品性、中国民族的特殊精神。因此中国产生了许多伟大的花鸟画家，如宋徽宗、徐熙、黄筌、黄居寀、崔白、赵昌、滕昌祐等，作品均美丽无匹，直到现在全世界还没有他们的敌手。此外我国的漆器、丝织品、玉器、瓷器等，亦有极大的艺术价值；尤其是玉器，是世界艺术的一朵奇葩。

在建筑雕塑方面，我国深受印度的影响，如唐代的各种洞庙，完全是模仿印度的，其中有些佛像简直是从印度而来。现在印度的洞庙据统计还有一千多个，单是孟买附近七八世纪时的洞庙还有五十多个。所以在雕刻及寺院建筑方面中国没有什么特殊的建树。可是在绘画方面，中国虽曾受印度的影响而没有失掉根本的精神，这种新影响正是以使其更加发扬光大。印度在中古时代，虽亦曾受中国的影响，但并没有繁殖开花。当中国的绘画已经成熟，达到崇高典雅的时期，印度的绘画仍停滞在孩提时代。

我国的绘画从汉代兴起，隋唐以后却渐渐衰落，这原因是自从王维成为文人画的偶像以后，许多山水画家都过分注重绘画的意境和神韵，而忘记了基本的造型。结果画中的景物成为不合理的东西，毫无新鲜感觉的东西；却用气韵来做护身符，以掩饰其缺点。理论更弄得玄而又玄，连画家自己也莫名其妙，如此焉得不日趋贫弱！

到了南宋时期，高宗在杭州建都，太湖附近成为中国绘画的核心垂七八百年之久。元初文人画发展到最高峰，但已丧失了庄严宏伟的气象。到董其昌时，由于他多才多艺，收藏又丰，成为当时文人画的中坚。但他每幅画都是仿前人，一笔一点，都是仿某某笔；其本意或系谦虚，一面表示师古不敢独创，一面表示不敢掠人之美。不过此风一开，大家都模仿古人，仿佛不模古就不是高贵的作品，独创性消失净尽。尤其是《芥子园画谱》，害人不浅：要画山水，谱上有山水；要画花鸟，谱上有花鸟；要仿某某笔，它有某某笔的样本；大家都可以依样葫芦，谁也不要再用自己的观察能力，结果每况愈下，毫无生气了！

绘画的老师应当不是范本而是实物。画家应该画自己最爱好又最熟悉的东西，不能拿别人的眼睛来替代自己的眼睛。在四川，峨眉山极其雄伟，青城山极其幽秀，三峡极其奇肆，四川人应当能表现它们，何必去画江南平淡的山水。广西人应当画阳朔，云南人应当画滇池、洱海；福建有三十多人不能环抱的大榕树，有闽江的清流，闽籍女子有头上插三把刀的特殊装束，都是好题材；而林琴南先生却画那些八股派的山水，岂不可惜！还有一位甘肃人画竹子找我看，我告诉他从甘肃走一千里还看不到竹，为什么要画和自己那样疏远的东西呢？一个人宁愿当豆腐店老板，不要当大银行的伙计，因为老板有主张自由，才谈得上表现；伙计丝毫没有自由，只是莫名其妙，胡乱受人支配而已。

所以艺术应当走写实主义的路，写自己所不知道的东西既是骗人又是骗自己。前人的佳作和传统的遗产，固然应该加以尊敬，加以研究和吸收，但不能一味因袭模仿。假如我们的艺术作品要参加一次国际展览，只要稍不小心，一定会有千篇一律的山水，或者净是花鸟，或者画面上全是长袖高髻的美女、道袍扶杖的驼背翁。也许竟完全看不到地大物博的中国、现代力求自强的中国，这岂不是现代中国画家的耻辱？

过去我们先人的题材是宇宙万物，是切身景象，而且有了那样光辉的成就，我们后世子孙也该走这条路，不要离开现实，不要钻牛角尖自欺欺人，庶几可以产生伟大的作品，争回这世界美术的宝座！

（原载 1944 年 2 月 1 日桂林《当代文艺》第一卷第一期）

墨松
130cm × 76cm　1935 年

虎与兔
46cm × 110cm　1935 年
（原题即如此）

山林远眺

130cm × 121cm　1935 年

枇 杷

112cm × 62cm　1935 年

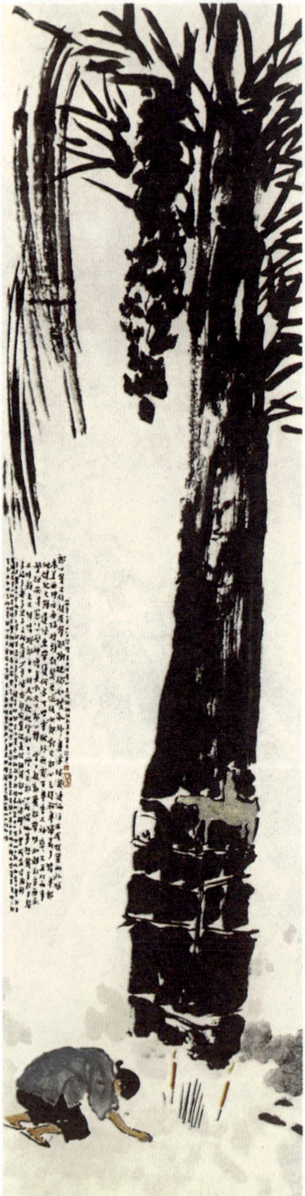

桄榔树
135cm × 34cm　1935 年

张大千与敦煌壁画

孔子曰：知之者，不如好之者；好之者，不如乐之者。知之者，如骨董鬼，持一物可牟利；又如考据家，借一物，可遣闲岁月。好之者，则如斯坦因、伯希和辈，顺手牵羊，名利双收。乐之者，乃心中好之，废寝忘食，盈年累月，不计任何困难，唯求满足及完成其理想上之作为。此作为，殆无功利可言。其困厄至极，或竟须以身殉。苟非纯由自动，固非威力可以勒逼与重利之啖使，得冀其成功者。故张大千先生之以三四年之光阴，久居漠北，耗其全力，临摹吾国最昌时代，而远闭置于塞外洞窟中之精妙敦煌绘画。其精神视宗教家之传道与近世科学家追寻真理，无二致也。此类行为，皆在知之者、好之者之上，盖孔子之所谓乐之者耶。凡对一事物之乐之者，必具深邃之探讨，坚强之毅力，而构成其高迈之气魄。吾想身临大千摹敦煌壁画之展者，应同具“看事容易做事难”之感。尤其在此时代而为之。吾故于大千致其无限钦迟。虽非其创作，其在艺术上功绩，已至为伟大。而此精神，尤足为一切胆怯者示范，不仅为艺术家也。

自元以降，吾国绘画以文人所写山水为主派，简单之花鸟与古木竹石等附之，而乏博大壮丽之人物，为工匠之能；实亦因民族衰颓，庙堂殿阁等大建筑毁坏，北方高原久沦于戎狄，人民于丧乱流窜之余，抱残守缺，已是满足。更无人想象盛世之隆，而振往日雄奇典丽之风者，故诗歌绘画雕刻之兴衰，实一民族兴衰之全貌，无丝毫假借者也。其间作画之文人因自身已是文人，在朝野已具足地位，其画之造诣可不深论，流弊所中，董其昌以下四王一类之人造自来山水，成为 17、18、19 三世纪亘三百年中国绘画上典型作品。而王石谷且被人称为“画圣”，低能而无耻竟至于此，极真不堪想象。

大千以其卓绝之天才，湛深之功力，在中国绘画上之造诣，吾已早言其突过有明诸贤山水，与元人争席。漫游天下，尽览吾先人所遗巨迹，又且唾吐珠玑，履屐经史，文人业画，实具极致。吾尤敬其不恋旧都，智脱倭阱，肩负家累，建此奇勋。嗟叹柴米，吾亦不免，以视大千诚当汗颜。今也，此暮气沉沉之，另一世界光辉如能是焕烂，此之于诗，此当是元白后辈，若出李杜之鸿篇巨制，得摩诘道子之辈所制，如当日东坡所见者，吾人欢喜赞叹之情，将不知到达如何程度。抑吾人对于先人遗产，所起之骄傲心情，且或更使人讨厌也。

二十年以来，吾既提倡写实主义，颇抨击所谓通行之文人画，吾主张画工须读书，不必文人作画，至今吾犹坚决主张如是。但以传统之中国绘画而言，若得条件具足之文人画家如张大千先生，肯以全力奔赴博大精微既通而久塞之美术大道，宁非理想之复兴人物。虽大千自况亦当毕生负责不辞者也。故吾人此后之期待，为大千以完整之装备，出现其声如洪钟，虬髯阔步之本人姿态，蔚为中华民族复兴之光，则三四年塞上之行意义抑更大也。

吾尚欲有言者，乃印度同时代（重要作品亦为七八世纪）有名之安强答（Ajanta）洞庙壁画质胜于文，以精诣言之，实逊敦煌制作远甚，因其功力尚未逮写出真实也。不有宗教，当然无凿洞之笨伯，而吾国民族在六七世纪，卓越之绘画天才虽有表现，但不能及于后世（吾人）。敦煌绘画虽蒙印度影响，实是高妙之中国美术，与印度绘画迥乎不同。吾所恋恋者，尤在其写实部门，其人可供谈笑，其飞仙亦无上美妙，凌驾西欧古代作品也。

1944 年 9 月 1 日

吴作人画展

作人为今日中国艺坛代表人之一，天才高妙，功力湛深。1933年夏，余在北京王家美术学院，晤其师白司姜先生，告余曰：此优异之学生，令本院生光。盖作人于先一年，在全校竞试获第一，有权利占院中单人画室居住工作。尔时，作人即有多量可记之产品，受欧洲北派熏陶，色彩沉着，《纤夫》一幅，可代表此期作品。厥后返国任教中大艺系，一本吾人共守之写实主义作风，孜孜不懈，时以新作陈出为人称道。七七后，随中大迁川，曾赴前方写取抗战史实。三二年（1943年）春，乃走西北，朝敦煌，赴青海，及康藏腹地，摹写中国高原居民生活，作品既富，而作风亦变，光彩焕发，益游行自在，所谓中国文艺复兴者，将于是乎徵之夫。其得天既厚，复勤学不倦，师法正派，能守道不阿，而无所成者，未之有也。彼为画商捧制之作家，虽亦颠倒一时，究非吾人之侣也，抑其捧制之方法，为吾人所谂之，状实可鄙，昧者尤而效之，终亦不能自藏其拙也。作人其安于所守，已亦邦家之光也。

1945 年

（原载 1945 年 12 月 11 日重庆《中央日报》）

丹 柿
103cm × 34cm　1935 年

风雨思君子

110cm × 37cm　1935 年

墨 猪
112cm × 38cm　1935 年

秋江冷

104cm×109cm　1935 年

村 歌
77cm×132cm　1936 年

李可染先生画展序

芒砀丰沛之间，古多奇士。其卓荦英绝者，恒命世而王，冠冕宇内，挥斥八荒。古今人执业虽各有不同，禀赋或殊，但其得地灵山川之助，应运而生者，其吐属之豪健奔放，风范之高亢磊落，以视两千年前亡秦革命之夫，固同一格调也。吾友刘君开渠，徐州人，其雕塑已在吾国内开宗；而徐州李先生可染，尤于绘画上，独标新韵，徐天池之放浪纵横于木石群卉间者，李君悉置之诸人物之上，奇趣洋溢，不可一世，笔歌墨舞，遂罕先例，假以时日，其成就诚未可限量。世之向慕瘿瓢者，于此应感饱啖荔枝之乐也。夫其兴之所至，不加修饰，或披发佯狂，或沉醉卧倒，皆狂狷之真，为圣人所取。必欲踽踽凉凉，目不斜视，憧憬冷肉，内外皆方，识者已指之为乡愿，而素为李君之所不屑者也。

故都人文荟萃，且多卓识，李君嘤求之意，当不难如愿以偿也。

（原载 1947 年 9 月 12 日天津《益世报》）

叶浅予之国画

叶浅予先生素以漫画著名，驰誉中外，近五年来，方从事国画，巡礼敦煌，漫游西南西北，撷取民间生活服饰性格及景物。三年以前曾在重庆中印学会公开其随盟军军中及至印度旅行之作与新国画一部陈列展览，吾时赴观，惊喜非常，满目琳琅，爱不忍去，即定购两幅，但最重要之幅，已为人先矣。

漫画家之观点在捕捉物象之特著性格，从而夸张之，其目的在予人以更深之刺激，此陀绵（Daumier）之所以伟大也，浅予在漫画上之成功当然握有此种能力；而此种能力，实为造型艺术之原子能！漫画要点，尤在掌握问题核心，而用极简单之方式说出，使之极度明朗。纵是含有极深刻意义作品，但必出以简单明朗之笔调，故必须扼要，吸取精华，而弃遗糟粕，此尤为一切高级艺术成就之必具条件。九方皋之相马，伯乐咨嗟叹息赞美其“视其所视，不视其所不视，见其所见，而遗其所不见者”，此也。见其所见须具有极大智慧，遗其所不见尤必具有极大功力，方肯扬弃那些细枝末节淆惑观感而不必要的东西，合而有之便是天才之创作。故高级成就之漫画作家，肯移其精力从事国画，皆可得同样成就。唯其范围、广狭则各人不相同耳。

画家习惯于曲线用法，恒不注意直线形体，此中国之所以在抒情山水及花鸟两部门特别发展（虽有专长亭台楼阁如赵大年、袁江之辈，但古今极少），但从艺术言之，究是缺憾（文艺复兴时代巨作均带建筑物）。浅予之界画一如其速写人物，同样熟练，故彼于曲直两形体，均无困难，择善择要，捕捉撷取，毫不避忌。此在国画上如此高手，五百年来，仅有仇十洲、吴友如两人而已。故浅予在艺术上之成就，诚非同小可也。

作风之爽利，亦为表现动人之重要功能，浅予笔法轻快，动中肯綮，此乃积千万幅精密观察忠诚摹写之结果！率尔操觚者决不能望其项背，此又凡知浅予之忠勤于艺者，不可忽视之观点也。

艺术固当以现实为满足，即海市蜃楼，列子御风，百兽率舞，凤凰来仪，极乐世界，地狱变相，凡思力所至之境，亦应为艺术所至之境。惜中国近数百年来，类多低能作家，举所理想，无非残山剩水，枯水竹石。此以人生言之，已如槁木死灰，无复有活趣，安用有此等艺术乎！故吾人必须先把握现实，乃可高谈理想，否则，定是阿Q，凭胡说过瘾而已！毫无补于事实也。

中国此时倘有十个叶浅予，便是文艺复兴大时代之来临了！

1948年

（原载1948年2月13日天津《益世报》）

复兴中国艺术运动

吾本欲以建立中国之新艺术为题，只因吾国艺术，原有光荣之历史，辉煌之遗产，乃改易今题。所谓复兴者，乃继承吾先人之遗绪，规模其良范，而建立现代艺术。慰藉吾人之灵魂，发挥吾人之怀抱，展开吾人之想象，殚精吾人之思虑也。在此类种种步骤进行以前，必须先有番廓清陈腐、检讨自我之工作。

一论思想。吾先人遗留与吾人之伟制，如建筑方面有长城、天坛，近在眼前；雕刻方面有龙门、云冈、宾阳洞、天龙山；绘画方面有敦煌千佛洞，其伟大之结构，如维摩诘接见佛使文殊师利。此固可视为外来影响，非中土本位文化；但如吾所藏之《八十七神仙卷》（中华书局出版）其规模之恢宏，岂近代人所能梦见！此皆伟大民族在文化昌盛之际，所激起之精神，为智慧之表现也。无他，亦由吾国原始之自然主义（Naturalism）发展到人的活动努力之成绩也。在古希腊全盛时代，其铎尼式、育尼式、高休式三种建筑上，恒以神话人物为雕刻及壁画之题材，产生杰作，不可胜数。惜我国民族天才，为佛教利用，亦创造了中国型之佛教美术。顾吾国虽少神话之题材，而历史之题材则甚丰富，如列子所称清都紫微钧天广乐帝之所居、大禹治水、百兽率舞、盘庚迁殷、武王伐纣、杏坛敷教、春秋战事、负荆请罪、西门豹投巫、萧萧易水、博浪之椎、鸿门之会、李贰师之征大宛、班定远之平西域等不可胜数。皆有极好场面，且少为先人发掘者。其外如海市蜃楼，亦资吾人无穷冥想。益以民间传说，画材不避迷信，可说丰满富足，无穷无尽也。

在此方面，检讨吾人目前艺术之现状，真是惨不可言，无颜见人！（这是实话，因画中无人物也）并无颜见祖先！画面上所见，无非董其昌、王石谷一类浅见寡闻，从未见过崇山峻岭而闭门画了一辈子（董、王皆年过八十）的人造白来山水！历史之丰富，造化之浩博，举无所见，充耳不闻，至多不过画个烂叫花子，以为罗汉；靓装美人，指名观音而已。绝无两人以上之构图，可以示人而无愧色者。思想之没落，至于如此！中国三百年来之艺术家，除任伯年、吴友如外，大抵都是苏空头，再不自觉，只有死亡！以视西方巴尔堆农，Halicarnes 陵之雕刻，以及达·芬奇之《最后晚餐》，米开朗琪罗之《最后的审判》，拉斐尔之雅典派，提香之《圣母升天》，丁托列托之《圣马可的奇迹》，鲁本斯之《天翻地覆》，委拉斯开兹之《火神的锻炼工厂》，伦勃朗之《夜巡》，近代若吕德之《出发》，德拉克洛瓦之《希阿岛的屠杀》，门采尔之《铁厂》，夏凡纳之《和平》，罗丹之《地狱之门》等作，真是神奇美妙，不可思议。彼有继起，而吾中断，但以吾先人之遗产比之，固毫无逊色也。然问题是现在与将来，而非既往——昔日之豪华，不能饱今日之枵腹也！

二论技巧。古人形容高贵精妙之技术，曰传神阿堵，曰真气远出，曰妙造自然；今人之所务，仅工细纤巧而已，且止于花鸟草虫；其外已少能写人像之人，少能画动物之人，少能画界画之人，少有能画一树至于高妙之人，虽多画花鸟虫鱼之人，而真精能与古人抗手者，不过三五人而已！以中国之大，人民之众，艺事之衰落，至于如此，若再不力图振奋，必被姊妹行之科学摒弃！更无望自立于国际！

吾人努力之目的，第一以人为主体，尽量以人的活动为题材，而不分新旧；次则以写生之走兽花鸟为画材，以期达到宋人水准；若山水亦力求不落古人窠臼；绝不陈列董其昌王石谷派人造自来山水，先求一新的艺术生长，再求其蓬勃发扬。大雅君子，幸辱教之。

（原载1948年4月30日天津《益世报》）

逆 风

101cm × 83cm　1936 年

漓江春雨

74cm×114cm　1937 年

清 影

100cm × 40cm　1937 年

犬
78cm×42cm　1937年

风雨鸡鸣

132cm × 76cm　1937 年

佳 果

54cm×70cm　1938 年

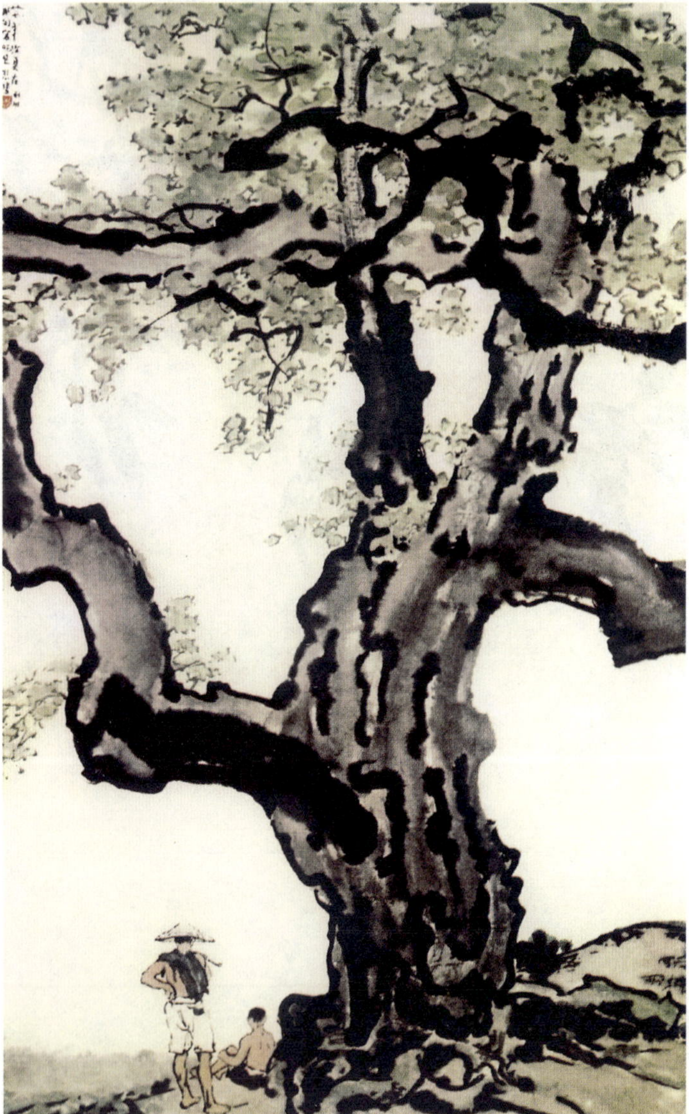

农夫休息
102cm × 62cm　1938 年

介绍几位作家的作品

此次中国美术学院、国立北平艺专、与北平美术作家协会联合举行之美术展览，其盛况无疑是空前的，各人出品皆经三团体严密审查。兹将会中最具性格之作，略为介绍，明知观者自能领会，惟以供印证而已。

叶浅予共出品六幅。叶先生为国中漫画名家，人人尽知，惟其从事国画，则近十年以来之事。漫画之课题，在找到问题核心，把握人物要点，此两课题亦适为以抽象方式写出之中国画同样重要，故叶浅予先生之转移工作，一如美国平时工业一变为战时工业之毫不费力。此次出陈如《负荷之苗女》之天然轻盈不假修饰。藏女舞蹈，长袖盘髻，设色隐艳，不必想象唐人。四川两位"南格劳止"，神情活现，令人发笑。而最具讽刺意味者，为一大汉之改装花旦，此不需任何词句解释，画之本身便痛快说明一切，惟画之风格颇有取乎旧日纸马，一看不觉，再看则情调大变，出人意外，不但好笑，且令人吃惊，真杰作也。

李桦为中国木刻界领袖，但年来亦潜心水墨画，其抗战期间之在三湘军中所作，已有许多风景及人物之杰作。去年应聘来平，对于北平小人物尤感兴趣。此次陈列《天桥人物》十八幅，凡看相者、卖拳者、拔牙虫者、玩蛇者等等，无一不刻画入微，动态自然，尤难在笔歌墨舞，游行自在，何必奇形怪状写罗汉，即此也是千秋不朽人了。

宗其香以中国画笔墨，用贵州土纸，写成重庆夜景，灯光明灭，楼阁参差，山寺崎岖与街头杂景，皆出以极简单之笔墨。昔之言笔墨者，多言之无物，今宗君之笔墨皆包含无数物象光影，此为中国画之创举，应大书特书者也。

蒋兆和之人物已在中国画上建立一特殊风格，其笔意之老练与墨气之融和，令人有恰到好处之感，惟其负孩之幅，人之上部倘多空五寸白纸，当尤为美满也，但其画之本身则无可非议。

李可染所写，俱墨气淋漓，精神充沛。其醉汉绝倒，不愧杰作；又山水多幅，俱有古人难到之意境。

张大千之《杨妃调鹦鹉》，乃最近寄到者，其姿态之妩媚，线条之爽利，自具大家气势。

齐白石翁之山水，顽固派多非议之，不佞却喜其独具风格，故陈其旧作一幅。

印度之苏可拉君，已在其本国建立地位，昔曾留学意大利，尤精版画，去年来中国研究中国绘事，此次出陈王青芳像，气势勇强，与其另陈之小幅印度画大异其趣。另一位印度画家周德立，为印度当代大画家囊达赖尔波司先生门下，画风略为浮动，但其印度作品《甘地使命》大横幅，则殊老到也。

王青芳这度多产，淹没其长，其写游鱼实有独到之处，故陈其多幅，亦披沙沥金之意。

田世光孔雀幅与黄均仕女，孔雀幅极意经营，反逊其平时悠然自得之妙，但此精神值得提倡，且在盛年苟不从事伟丽之钜制，将后悔莫及也。惟须意态从容，不宜仓卒从事耳。

李苦禅善写荷花，惟不喜唱拿手好戏。

油画在比率方面，知在本展为最重，首须提出者为吴作人之《青海市集》，塞上人一见即证画中之真实气氛，其写中国中亚细亚人熙来攘往，各族人之性格与其披挂，浓艳之服饰与晴空佚荡辉映，成极明媚而活跃之画面，不足更缀以铜器买卖，此为中国油画史上重要杰作，故当大书特书者也。吴君风景作品，仍以磁器口（重庆）为最佳，笔调爽利，章法巧妙。

其次则须推艾中信之《枕戈待旦》幅最为重要，此幅成于抗战期间，不特题旨警惕，而作风尤沉着深厚，与作者平时情调不同，全面阴沉，写出待旦光景，试以作者近作之《溜冰》合观，何其清快明丽。艾君尚有城外驼群及北平之云及写像多幅，俱是佳制；多产又多佳作如此，可寄以极大希望者也。

李瑞年为国中最大之风景画家，此次所陈之风景大画三幅，置于世界任何风景画之旁皆无愧色。

齐振杞之《地摊》，完全本地风光，处置得宜，允称佳构。

董希文之《潮海》，场面伟大，作风纯熟，此种拓荒生活，应激起中国有志之青年，知所从事，须知夺取人之膏血乃下等人之所为也。其《马叔平先生像》，神态毕肖，而笔调又轻快可喜。另一静物，极尽酣畅淋漓之致，不愧杰作。

冯法祀格局雄强阔大，其《演剧队之晨会》，未免小题大做，但其色彩作法及结构皆完善美备，其另素描四幅，俱是头等作品。

李宗津之《耕耘》以圆明圆残迹作底，便无如此灵动，笔法亦能动人。《叶浅予像》与《李立人像》，均极自然，其《苗民赶集》色调极雍穆有和平气象。李君之作如能再主观一些写更有佳境也。

土木工程工作写来甚易乏味，黄养辉所作《黔桂路》水彩画则令人起美感。

杨化光女士之静物两幅皆精妙，尤以盆花为胜，与萧淑芳女士之鱼，程宝紫之红花，俱是本展静物中之杰作。

叶正昌无暇作画，但其小幅风景两张，俱简练者到恰到好处。

宋步云之《白皮松》，妙手偶得；另一女人像亦妙。

少年作家中，戴泽、韦启美，均在本展中大显身手，戴泽之《缝工》、《马车夫》、雪景及大幅《韦启美像》，色彩丰富明朗，皆许其前程远大。韦启美之《裸女之背》，色彩灿雅，《大树》则又沉雄，俱是成熟作品。

雕刻殊贫乏，亦因作家太少，但王临乙之巨幅稿，情调适合；王炳熙之《张司令廷孟像》，精神奕奕；又刘生像作风飞动，为大会生色。其外则徐沛贞女士之一小件《苗女》尚简洁可喜。

学生作品值得一提者，有孙桂桐之《风景》，色调老练；卢开祥之《庭院》，章法自然。韦江凡速写《黄宾虹先生侧影》，神态毕肖，皆可称佳作也。

图案方面有高立芬之地毯设计，色泽简雅。徐振鹏之田园景色，饶有意趣。孙行序之椅垫设计两种，均雅致切用。殷恭端美展广告，以浅绿投入深绛，自然鲜艳，染织多种深青间白，均高雅切用。尤以陈碧菌之利用武梁祠汉画为染织，更有与古为新之妙。

陶瓷较之去年大有进步，其佳制如叶麟趾之窑变之瓶，叶麟祥白色茶壶，吴让农、吴证义之酱色盘碟，或简洁，或古雅，俱有特色也。

（原载 1948 年 5 月 7 日天津《益世报》）

群 鹅

111cm × 63cm　1938 年

洗 衣

60cm × 52cm　1938 年

持扇钟馗
102cm×62cm　1938 年

负伤之狮

110cm × 109cm　1938 年

《关山月画集》序

艺术乃最无束缚极度自由之世界，故襟怀广博，感情敏锐之士，以几年苦工，把握造物之色象，以后即可骋其才思所至，尽情发挥，毫无顾忌（只不背反公德）。不足则益以游踪，扩大见闻范围，或研讨学术，开辟思想，此古人读万卷书，行万里路之意也。岭南关山月先生初受高剑父先生指示，学艺天才卓越，早即知名，抗战期间，吾识之于昆明，即惊其才情不凡。关君旅游塞外，出玉门，望天山，生活于中央亚细亚者颇久。以红棉巨榕乡人，而抵平沙万里之境。天苍苍，地黄黄，风吹草动见牛羊，陶醉于心，尽力挥写。又游敦煌，探古艺宝库，捆载至重庆展览，更觉其风格大变，造诣愈高。胜利之后，关君走南洋，所至声誉鹊起。今收集其精华付梓，敬举所知，为阅者告。

悲鸿顿首

（原载 1948 年 12 月 29 日香港《华侨日报》）

四十年来北京绘画略述

北京确为五四运动新文化之策源地，而在美术上却最为封建，最顽固之堡垒，四十年来，严格言之，颇少足述者：因其于新艺术之开展，殊少关系也。《四十年来之北京》的编者，坚命我执笔叙述，辞不获已，缘为作流水账式之如下报导。

民初在北京负相当画名者，为以译西洋小说著名的林琴南，林写王石谷式之山水，能投一般资产阶层所好，笔墨生涯，颇不寂寞。当时书家有丁佛言，籀法不亚于南方吴昌硕；善草行者为樊樊山、罗瘿公，皆高出其时之画家多多。

民国七年，梁启超、傅增湘等创办国立美术学校，以广东郑绵为之长；郑曾留学于日本，闻其书法一生未变，第一个国立美术学校之建立即未树有良好风范。先二年，蔡元培长北京大学，六年，在北大内创立画法研究会。吾是年入都，亦蒙约为导师，同事者为陈师曾、贺履之、汤定之、李毅士。吾尔时学尚未足以自立，此一群画家在当时已为北京之选，翌年除悲鸿外，又皆在美校任教。

俄国名画家Yakovebff于七年游北京，作画不少，曾举行展览。

时活跃于北京艺坛者尚有金拱北；金善临摹古画，设湖社，弟子亦多。其妹金陶陶女士，善画金鱼；金任职银行界，又能英语，外人多与之游。时能作花鸟者尚有陈半丁、王梦白二人，旋亦任教美校。时齐白石已居京师，尚无赫赫之名。

作山水者有萧厔泉、萧谦中、姚茫父。二萧称内行，茫父样样都来，但未必工。其时师曾名籍甚，实则师曾擅刻印而已，法吴仓硕，故颜其居曰“染仓室”，画与书略有才气，诗乃世家，以能集诸艺于一身，故为时所重。又有凌直支、周养庵，后者写梅花最为吾友郑振铎所称道。

溥心畬、溥雪斋写山水颇有功力，惜皆少出游。溥心畬不善题画，恒写字于画之中心，二人皆喜行草书。

吾于十七年秋间为李石曾约长北京艺校，月余，将艺校改为艺术学院，曾三访齐白石，请教授于中国画系。时白石年六十八，其艺最精卓之时也。

周养庵主办《艺林》月刊，与金拱北之子金潜庵，皆勾结日本人，相攻讦无已。

作宋徽宗式之花卉者有于非庵；花鸟后起之秀为田世光；山水后起之秀曰启功。

在沦陷之前，蒋兆和已以新中国画在故都成名，沦陷期间，蒋曾写大幅《流民图》出陈于太庙，未一日，即受日本人干涉，蒋即携画奔上海，此画今无下落。尔时齐白石闭门谢客，离去教务，亦不卖画。吾于三十五年八月，任职国立北平艺专校长，即推行写实主义于北平，遭到一班顽固分子之剧烈反对，但我行我素，聘吴作人、冯法禩、艾中信、李桦、叶浅予、宗其香等为教授。吾在南方行之已二十余年，且已有成绩，此暮气已深之北平美术界，尚始为垂死之挣扎，其冥顽不灵，殊为可怜。

（原载《四十年来之北京》1950 年 2 月出版）

千里驹
52cm×78cm　1938 年

侧 目

111cm × 109cm　1938 年

奔 驰

95cm × 68cm　1939 年

三 鹅

82cm × 47cm　1939 年

漫谈山水画

我们在今日与帝国主义做艰苦斗争之际，绘画与一切艺术，均须正对现实，整饬工具，反而来谈山水画，可谓不切实际；而且我又在百忙，动机是友人蔡先生偶然与我说起有人向他提出山水画问题，需要做一答复。我因此事与我国文化遗产攸关，研究颇久，手头材料，亦还不少；便自告奋勇，检讨一番，代其答复。

山水之为画，当然不可能有积极性，它是资产阶级的心力收获之一种，所以它也成为遗产。我国山水画上之造诣，有人认为是人类创作中之一奇（H. G. Wells）；我们就山水论山水，确实有它的独到处，是可以值得骄傲的。

山水于画中为最后起之成物，因须综合人物、鸟兽、建筑、营造、树木、山水，一切构成在一幅中，非样样东西达到完成，不能有山水画；而画家又必须样样精通，才能创制山水画。所以真正有中国性格之山水画，成于8世纪之水墨山水创作者王维。比较完成西洋风景画之荷兰雷恩代（Roisdael）、霍贝玛（Hobbema），法之洛兰（Claude Lorrain），意大利之干奈来笃（Canaletto17世纪）几乎早几千年。15世纪末意大利文艺复兴时代贝里尼（Bellini）及达·芬奇（Leonardo da Vinci）画中，好以风景山水作远景，但未发展成立山水画，而中国大小米好为韵味深远之雨景，始用点，尤早过法国印象派Impressionism千年（彼用色调此用墨彩，求取韵律，原理则同）。而山水画中巨人，如荆浩、董源、范宽、李成、郭熙、郭忠恕、米元章、李唐、马远、夏圭，皆有杰作可稽，造诣真确（宗炳、大小李将军、王维、王宰、张璪、关仝、巨然辈，其画全失，或无杰作，存而不论）。如范宽之《溪山行旅》（故宫博物院），宋人《溪山暮云》（传李成笔，故宫博物院），郭忠恕《岳阳楼》（方雨楼藏），夏圭之《西湖柳艇》（故宫博物院），《北溟图》（明周东邨画，藏日本），《风雨归舟》（金冬心），真可说是百世以俟圣人而不惑，尤古常新的东西！因为范宽居太华，习见雄峻之山，董源居江南，则不为叠嶂，写出真情真景，所以至今日，仍与吾人亲切之感，便是倪云林、黄公望、吴仲圭辈文人画（人以为对于外族统治消极的抵抗），亦不脱离写实；仅王蒙好为长幅层峦，移远景直立，作近在咫尺之像（《青卞隐居图》等），显得矫揉造作。但其树法，实古今第一，无人能及，如倪、黄所作，皆二三五年长成嫩枝，不得谓之树木，不及王蒙树法远甚。但元之孙君泽，明之周文清、沈石田、仇十洲、袁江辈，皆能外师造化，中得心源，其作品多远离当时统治阶级俗气，得隐逸之趣；此文人竭尽心力之成功，不同于董其昌辈，达官显宦，想不劳而获的投机分子的末流文人画。所谓人物鸟兽营造花木山水样样精通，方画山水者，此辈人物鸟兽花木营造件件不会，方画山水！到了四王，专意贩卖古人面目，毫无独创精神。（古人所谓仿某家，模某人者，因画中作风偶然与古某人相近，恐后人讥其抄袭，索性自己写明仿模某人，有谦虚之意，到了后来，非仿模古人，不得云作品，真是奇谈！）到了李笠翁，便纠合画家，编了一部三个月速成的《芥子园画谱》，让当时那些念书人学几笔画，附庸风雅，于是扼杀了中国全部绘画，不仅山水一门，亘三百年，因为有了《芥子园画谱》，画树不去察真树，画山不师法真山，唯去照画谱模仿，这是什么龙爪点，那是什么披麻皴，驯至连一石一木，都不能画，低能至于如此！可深慨叹。而欧洲自十九世纪英国康斯太布尔（Constable）、透纳（Turner）两大风景画家出，将中国山水画家所夸耀的（神韵境界）完全做到；一直发展到印象主义的莫奈，将天涯海角，悉成画材，平地草堆，包含光气，着手成春，皆能动人；即便不能创派的画家，如德国之安亨拔赫（Achenbach），法之陀皮尼（Dauhigny），俄之列维坦（Levitan），瑞典之滔鲁（Taulow）也都能依据自然，写出佳妙作品，超出古人，不像我国，每况愈下。仅有清初石豀、石涛，自抒性灵，略有古人作厕遗意而已；至精深博大，高古雄强，都不逮宋人远甚。石涛因游踪较广，颇能会心造物变化，不为成法格局所拘，但写人物、树木，俱功力未逮，近人虽好言石涛，究不能举出石涛精品为何幅也。

技法之检讨金碧山水

在画幅上所存中国最古之山水，应推有名之展子虔幅（张伯驹藏），此幅无款，但可断为王维前物，因尚未及于成熟之山水也；宋以后人，多喜仿大小李将军之金碧山水，实中古人守印度画的作风小变；但青绿山水，亦具至理，我在1920年在柏林见德国画家他貊（Hana Thorna）几幅风景，逼近中国青绿山水，但接近自然，风格逼真；后于1940年夏，居喜马拉雅山，偶至客乡（Kashen）附近七千尺左右高处，望十余里外对面满种茶树之山上，全是中国画青绿山水四青与四绿（若古人用头青与头绿，则推演出而将就用之，实胡闹也。实因古人无花青藤黄）。此必在高处，且山上全披葱郁之植物，于繁茂之际，观者必须置身同等高处。平视（高视便无此色）不太远亦不太近，日光斜照，方得此淡石青石绿之美丽色彩；用赤金勾出，更有意义；因如太阳正射，则山势失其起伏；如反射，则成一片灰色；若用浓墨勾出山势，则嫌太重；倘用淡墨，则又显得软弱；只有用赤金勾出，恰到好处，又显得光彩。我想大小李将军，当年皆活动于陕西长安一带，可能在秦岭，或在山西五台山习见此种景色，故善画之如是（金碧山水）。在中国西南部，若四川、云南、贵州，应常常看到如此真景。江苏的董其昌硬派太原王维为南宗，因其大概少写江苏所无之层峦叠嶂也。王维画现在世上已不存在，我们推崇他，因根据苏东坡诗“……吾于维也敛衽无间言”。因为唐宋绘画水准极高，能令东坡倾倒如此，必是一旷世天才，惜乎由他创立之中国性格（民族形式）水墨山水，因为文人所祖，首先抹杀了具有优良传统的工匠所作大幅人物题材的华贵作品（主要如壁画），而发展成为脱离现实徒具形式的文人画；终至没落而成八股山水。便反而断送了中国全部绘画，真是出意料。

浅绛

只用花青赭二色（一冷一热）渲染，不用其他别种色，谓之浅绛。此作晨雾，颇有效果，因为用同等深浅（极淡）能区别光量，确为聪明办法。但于花卉，便不适宜。尤其幅幅都是浅绛，便显得单调。石豁、石涛最犯此病，此所谓“知其然而不知其所以然”。

又浅绛渲染，必须施之有章法之山水，不宜用于数树一石之片幅，因片幅太具体，仅冷热两色，不能了事，反不若淡墨一色概括了。

我举一事，证明今日中国画山水者之通病。

我在 1938 年 10 月漂流广东西江到江门，其附近四会，为中国著名大村（五万人口），实可称一城。其地有一陈君，曾执教于广州市立某学校，闻吾至，来舟相访，请过其叔家餐叙。饭后出其为其叔写《西江寻梦图》，因其叔有一爱子十七岁而殇，心甚痛之，故命陈君作图纪念；阅竟，吾赞其画法之佳，陈君更请深言。吾因询陈君：此图可易题为长江寻梦否？可易为黄河寻梦否？甚至为黑龙江寻梦，亦无不可。因不能确指境地也。陈君愕然，因问：如先生言，当如何而可？吾谓既然是广东西江，倘不能用屋宇表示广东房舍结构与别处不同，必当用植物表示，如长江以北少竹，黄河以北更罕见，竹之产两广者，多丛生之慈竹，不同于江浙两湖皖赣竹能成林；福建广东，多见垂根巨榕，湖南江西四川亦有之，俱不垂根而大叶；芭蕉在广东省，结实累累，至江浙四川尚能开花，便不结实；多棕树参天，他处无之；若在图中多写三五株高棕树，画几丛结实芭蕉，则画自然不能移动境地了！陈君恍然。又如匡庐雁宕，无层峦而有叠嶂，因无高峰；黄山莲花峰，虽全是巨石所积，但可用荷叶皴，而不得用大斧小斧劈法；江浙少数百年之大树，如北京习见奇姿异态之古柏，因有大寒大热大风，若气候温和之地，如成都丞相祠堂前所产之大柏，一长直上五丈高，毫无姿态，因不需与天时奋斗也；若云南点苍山下三大唐柏，因为点苍山的西风厉害，故又具姿态；记得我作一首打油诗咏之，“虬枝欲挽朝暾住，激战西风日夜间；直到斧斤不敢赦，天留古柏伴苍山。”因近一千年的西风，吹得柏枝完全东向，好像要伸出臂膊拿日出也。又苍山山势，全是王蒙皴法，他处似未见过，王蒙初未到过云南点苍山，而能暗合如此，此又似鼓励人闭门画山水了；但王蒙画，无远近法，到底看出他未常接近造化，不称当行；比如郭熙善画水层岩，马远善画石来岩，董源善写土崇山，倪云林不写大树，皆是忠实表徵。后人懒惰，不解师法造化，便自然主义都谈不上，所以愈不成其为画家了！

近尚有与八股山水并行的画，香蕉苹果一类低能的东西。我又想起一事，1937年抗日战争起，我随中央大学迁重庆；四川省政府，聘我招考中等学校图画教员，请我监试并出题；我即出一题："要画中有两个人在工作，耕田也好，挑水也好，但要看出是四川人；要一株大榕树但树上不要叶子。"诸生想了半个钟头，画不出来；于是怨声载道，说：这像啥子题目，四川人还不是与别省人一样的，树不画叶子，怎看得出什么树？我即起解释道："一个中等学校教员，当然不必要能写杰作！但是我要测验你们，能不能观察自然，若要用形象来区别人，自然甚难，比如说安南人（今越南人）当然大别于蒙古人、广东人，不同于河北人，倘用打扮服装做区别便容易极了，头上裹了一大白布头巾，上身穿件长衫，而光着脚，这不是一看就是四川人了吗！至于榕树大异柳树，柳树大异于松树，倘画柳树不画叶，可能被认为别的树；但榕树盘根错节，又巨大非常，如写出被人误认，那就奇怪了。"众方翕服，但终于草草了事。向来埋头于八股山水或用功画香蕉苹果的人，自然无办法作出此题，事后亦未产生任何影响。我所持的道理，可说不错，只因不配合政治，因之不发生作用；比如今日，说明艺术应服务于人民大众，倘连这些都不会，那就用不着你这一类的画家！情形就远不相同了！

八股山水尤扼杀我国工艺美术，如我国瓷器、漆器、刺绣，都因制作者懒惰，用山水代替图案，至没落到比原始陶瓷都不如。比如一个瓷器，一件漆器，一幅刺绣，加上山水，还能与人什么美感吗？光的白的倒显得干净多了！因为它绝不可能像真山水，亦绝不可能有山水画画面上的优点，甚至连八股山水都不如（比它省事，费事而不得效果，就显得俗气）！所以山水画虽曾成过好东西，但没落了的八股山水，却成为一件坏东西了！（听说为了遮掩器上的毛病的缘故，但无别法可想吗？）

再举一例：如英勇抗战一类题材，当然不能责之文人画家；但中国古今文人最艳羡之事，最理想之景，其莫过于桃花源；但此中人物鸡犬，如董其昌、王石谷辈，能梦想得到吗？这辈文人能胜任吗？文人画家，并桃花源尚不能想象，还有什么前途呢！

总之，艺术需要现实主义的今日，闲情逸致的山水画，尽管它在历史上有极高度的成就，但它不可能对人民起教育作用，并也无其他积极作用；其中杰作，自然能供我们闲暇时欣赏，但我们现在，即使是娱乐品，顶好亦能含有积极问义的东西。我们之中倘有天才，希望他能写出各种英雄（如战斗英雄等）的史实，各种模范的人物凸出着我们幸运遭遇这个伟大时代。像列宾、苏里可夫、米该蒂（意大利 19 世纪大画家 Jario《渔家女》之作者）等人，类似之作品；倘从文化着眼，中国五代北宋山水，已成縹缈高峰，我们便有能力向上堆积，亦加高了有限。现实主义，方在开始，我们倘集中力量，一下子可能成一岗峦。同样使用天才，它能使人欣赏，又能鼓舞人，不更好过石谿、石涛的山水吗？

1950 年 2 月 12 日完稿

斗 鹰

155cm×82cm　1939 年

霜草识秋高

130cm × 76cm　1939 年

鹰 扬

156cm×82cm 1939年

愚公移山
144cm × 421cm　1940 年

紫 荆

112cm × 56cm　1940 年

泰戈尔像

51cm × 50cm　1940 年

喜马拉雅山（之一）
34cm×52cm　1940 年

印度妇人像

108cm × 52cm　1940 年

任伯年评传

任伯年名颐，浙江萧山人，后辄署名“山阴任伯年”，实其祖籍也。其父能画像，从山阴迁萧山业米商。伯年生于洪杨革命之前（1839 年），少随其父居萧山习画，迨父卒（伯年约十五六岁）即转徙上海。是时任渭长有大名于南中。伯年以谋食之故，自画折扇多面，伪书“渭长”款，置于街头地上售之而自守于旁。渭长适偶行遇之，细审冒己名之画实佳，心窃异之，猝然问曰：“此扇是谁所画？”伯年答曰：“任渭长所画。”又问曰：“任渭长是汝何人？”答曰：“是我爷叔。”又追问曰：“你认识他否？”伯年心知不妙，忸怩答曰：“你要买就买去，不要买即算了，何必寻根究底？”渭长夷然曰：“我要问此扇究竟是谁画？”伯年曰：“两角钱哪里买得到真的任渭长画扇？”渭长乃曰：“你究竟认识任渭长否？”伯年愕然无语。渭长乃曰：“我就是任渭长。”伯年羞愧无地自容，默然良久不作一声。渭长曰：“不要紧，但我必欲知这些究谁所画？”伯年局促答理曰：“是我自己画的，聊资糊口而已。”渭长因问：“童何姓？”答曰：“姓任。习闻当年，父亲常谈渭长之画，且是伯叔辈。及来沪，又知先生大名，故画扇伪托先生之名赚钱度日。”渭长问：“汝父何在？”答曰：“已故。”问：“汝真喜欢作画否？”伯年首肯。渭长曰：“让汝随我们习画如何？”伯年大喜，谓：“穷奈何？”渭长乃令其赴苏州从其弟阜长居，且遂习画。故伯年因得致力陈老莲遗法，实宋以后中国画正宗，得浙派传统，精心观察造物，终得青出于蓝。此节乃二十年前王一亭翁为余言者。一亭翁自言，早岁习商，居近一裱画肆，因得常见伯年画而爱之，辄仿其作。一日为伯年所见，而喜蒙其奖誉，遂自述私淑之诚。伯年纳为弟子焉。

任氏画皆宗老莲，独渭长之子立凡学文人画，不肖其父、其叔，浮滑庸俗。其于伯年造诣，不啻天渊。伯年学成，仍之沪。名初不著。有人劝其纳资拜当时负声望之老画家张子祥（熊）。张故写花鸟，以人品高洁为人所重。见伯年画大奇之，乃广为延誉。不久，伯年名大噪。

伯年嗜吸鸦片，瘾来时无精打采，若过足瘾，则如生龙活虎，一跃而起，顷刻成画七八纸，元气淋漓。此则其同时黄震之先生为余言者。

伯年之同辈为胡公寿、钱慧安、朱梦庐、舒萍桥。其中胡公寿为文人，朱、舒皆擅花鸟，但均非伯年敌手。

伯年之学生有徐小仓、沙山春、马镜江。小仓、山春皆早逝，镜江亦不寿，有《诗中画》行世。倘天假彼等以年，可能均有成就。后有倪墨耕，民国初年，尚在沪鬻画，不过油腔滑调而已。伯年卒于光绪乙未（1895 年），年五十五。伯年有一子一女。女名雨华，学父画，甚有得，适湖州吴少卿为继室，吾友吴仲熊君之祖也。吴少卿毕生推崇伯年，故断弦后婿于伯年，雨华无所出。伯年逝世（1895 年）时，其子堇叔年才十五，故遗作皆归雨华。雨华卒于民国九年（1920 年）。1928 年余居上海，与吴仲熊君友善，过从颇密。仲熊知吾嗜伯年画，尽出其伯年父女遗迹之未付装裱者，悉举以赠，可数十纸。后吾更陆续搜集，凡得数十幅精品，以小件如扇面、册页之属为多，其中尤以黄君曼士所赠十二页为极致。今陈之初先生独具真赏，力致伯年精品如许，且为刊印，发扬国光。吾故倾吾积蕴，广为搜集附之，并博采史材，为之评传。

吾于 1928 年初秋居南京，访得一章敬夫先生之子，延吾往其家（玄武湖近）观伯年画。盖其父生平最敬伯年，又家殷富，故得伯年画颇多。记其佳者有《唐太宗问字图》，尚守老莲法，但已具后日奔逸之风。又《五伦图》，花鸟极精。又《群鸡》，闻当日敬夫以活鸡赠伯年，伯年以画报之者。此作鸡头为鼠啮，敬夫请钱慧安补之。均佳幅。惜敬夫夫人过于秘守，不肯示人，且至当时尚未付裱，故无从得其照片。

抗战之前，余闻陈树人先生言，其戚某君居沪藏伯年画达七八十幅，中多精品云。吾久欲往沪一观而未果，今已不可能，因树人已下世，无人为介，且亦不得主名也。

学画必须从人物入手，且必须能画人像，方见功力。及火候纯青，则能挥写自如，游行自在。比之行走，惯径登山，则走平地时便觉分外优游，行所无事。故举古今真能作写意画者，必推伯年为极致。其外如青藤、白阳、八大、石涛，俱在兰草木石之际，逞其逸致之妙。而物之象形，固不以人之贵贱看，一遇人物、动物，便不能中绳墨得自然法，而摹差易其位也。当年评剧家之推重谭鑫培之博精，并综合群艺，谓之“文武昆乱一脚踢”。伯年于画人像、人物、山水、花鸟、工写、粗写，莫不高妙，造诣可与并论。盖能博精，更借卓绝之天秉，复遇渭长兄弟，得画法正轨，得发展达此高超境界。但此非徒托学力，且需怀殊秉。不然者，彼先辈之渭长昆季曷无此诣哉？

1928 年夏，吾与仲熊同访堇叔先生。堇叔工韵文，而书学钟太傅，亦是人物。曾无伯年遗作，但见伯年用吾乡宜兴陶土塑制其父一小全身像，伛偻垂小辫，状至入神。蒙堇叔赠伯年当年摄影一纸，即吾本之作画者也。董叔于十年前病故，民国卅年（1941 年）左右，其后嗣尚作写吾论证其先人之文，可见其后至今尚昌大也。

忆吾童时有一日，先君入城，归，仿伯年《斩树钟馗》一幅，树作小鬼形，盘根错节，盖在城中所见伯年佳作也。是为吾知任伯年名之始。

计吾所知伯年杰作，首推吴仲熊藏之五尺四幅《八仙》，中之韩湘、曹国舅幅，图作韩湘拍板、国舅踞唱，实是仙笔，有同之初藏之《何仙姑》。吴藏尚有八尺工写《麻姑》，吾昔藏《九老》（今归前妻蒋碧薇），皆难得之精品。尚见一四尺画两孩玩玻璃缸内之金鱼，价重未能致。又一素描册，经吴昌硕题，尊为“画圣”。若册页，则经予渊藏有十五纸，中有四纸可称杰构，已由上海某处精印印行。有正书局亦印出与吴秋农合册，中之《八哥》，可与之初藏之《飞燕》《鹦鹉》《紫藤》等幅相比。此等珠圆玉润之作，画家毕生能得一幅，已可不朽。矧其产量丰美，妙丽至于此哉！此则元四家、明之文沈唐所望尘莫及也！吾故定之为仇十洲以后中国画家第一人，殆非过言也。

伯年为一代明星而非学究，是抒情诗人而未为史诗，此则为生活职业所限。方之古天才，近于太白而不近杜甫。

与伯年同时代世界画家之具有天才者，如瑞典之左恩，西班牙索罗兰、伊白司底达，俱才气纵横，不可一世，殆易地皆然者。至若俄国列宾、苏里科夫，法国倍难尔，荷兰之伊司莱，德国之康普、李卜曼，瑞士霍特莱等，性格不同，不得相提并论。

忆吾于1926年春，持伯年画在巴黎示吾师达仰先生，蒙彼作如下之题字（按：此段为法文，所录为法文译文）：

> 多么活泼的天机，在这些鲜明的水彩里。多么微妙的和谐，在这些如此密致的彩色中。由于一种如此清新的趣味，一种意到笔随的手法。并且只用最简单的方术，那样从容地表现了如许多的物事，难道不是一位大艺术家的作品吗？任伯年真是一位大师。
>
> 达仰，巴黎。1926年

达仰为近代法国大画家之一，持论最严，其推许如是，正可依为论据也。

1950年庚寅冬日，徐悲鸿写于北京八十七神仙残卷之居

（原载《艺术家》杂志1984年九月号）

灿若朝霞

96cm×54cm　1940 年

牧童
56cm × 83cm　1941 年

前　进

130cm×76cm　1941 年

赵 姬

94cm × 40cm　1941 年

鸡足山

47cm × 116cm　1942 年

美术遗产漫谈

——一部分中国花鸟画

绘画亦古人在创制文化上劳动之收获，中国于此，成绩特著；但其造诣，确为古今世界上占第一位者，首推花鸟，尤以11、12世纪北宋人，为达最高峰。中国美术，无疑，几乎全是自然主义（人物之自然主义，被批判为无聊行动），故在现实主义时代，一切遗产，均须批判接受。我不敢贸然做批判，不过说明中国花鸟画在世界上之地位，确为吾国高贵遗产中之一部而已。考世界古文明国如埃及、安息、希腊、罗马，刻画动物，有过我国者，如埃及石刻中《鹰》《牛》，壁画中《雁》，安息石刻中《狮》《马》，希腊《牛》《马》，罗马《牛》《羊》《豕》等俱已极精妙，再以工到之人物，结合上古农作或攻战生活，其造就高出吾国上古造型美术，唯其一切皆为人物活动之附属品。吾国美术发展后，变为多元体；如山水、人物、花鸟、草虫，各树一帜（上古并不如此），有全不连属者。故为万物平等观，不同西洋以人为主体。彼之所长，我远不及，而我之所长，彼亦不逮。因为我国人之思想，多受道家支配，道家尚自然，绘画之发展，一面以环境出产如许多之繁花奇禽，博采异章，更益以举世所无之香花多种（兰花、水仙、蜡梅、梅花、桂花），花类如木棉、牡丹、玉兰、辛夷、莲花、木槿、菊花千种，又如梧桐、翠竹，欧洲罕见，而禽类若孔雀、白鹤、鸳鸯、鹦鹉、巨鹫、戴胜之属，俱欧洲少见，甚至鹊亦少见。故自然物之丰富，又以根深蒂固之道家思想，吾民族之造型艺术天才，便向自然主义发展。波斯印度亦多物产，但其绘画，俱为生活习惯所限制，类作五六方寸大小之小幅，开展为难。独吾国北宋，承唐代文化之盛，工业制作，如瓷、如锦织，皆美妙无伦；至于绘画，借百余年之承平，服务宗教之外，于花鸟一门，特跻其极，其中卓绝之人物，如黄筌、黄居寀父子，崔白、易元吉、滕昌祐、宋徽宗等，尚有许多有瑰丽作品而不留名之作家，无虑百十位，制出无数使人惊叹之画幅。惜乎近代中国审美目光短视，偏重山水，而遗其他，百年来帝国主义侵略剥削我国，将我国历史上之珍奇，尽力搜刮以去；而吾国当时不肖之商人，结合短见之收藏家，则代其汇集罗致，迨今吾国在绘画上所有北宋人之杰制，已不及十分之一（指现世界所藏）。故禁止古物出口，良是要图。这说明吾国古人劳动，不辜负优良环境，所以能产生如许多中国自然主义杰作！假使当时，便有今日环境，可能早就有了现实主义。（宋代米元章父子，因求得韵律，开始用“点”写山水，实即印象主义原理，早七百年）因此，我们现在既掌握马列主义毛泽东思想，实现“大道之行，天下为公，……货恶其弃于地也，不必藏于己，力恶其不出于身也，不必为己……”，最明显的如“耕者有其田”，我们处于这样的环境，似应有这样反映的美术；自然环境，仍同古人所处，亦应当撷取其所收现代世人擅写飞禽者，日本人颇多。在欧洲则有瑞典人李耶福尔斯（Lijefors），善写鹰、雁、水禽。苏联有李洛夫（Pnnob），善写飞雁、鸥，但俱未能突破宋人纪录，不比山水让位于 Constable Tumer 及印象主义作家。花鸟至明代尚有传人如汪海云、陆包山、吕纪、陈洪绶；清代绝响（华新罗）；亘二百余年乃有任伯年，变格为豪放之写意，前无古人。但自任伯年以后，五十余年，无继起者。

单纯之色调并非中国遗产。吾国名贵之陶瓷，及锦绣、绘画，俱无纯色；瓷无全白，朱砂胭脂非纯红，石黄藤黄非纯黄，石青花青非纯青，石绿草绿非纯绿，举世界一切自然物中，亦少有纯色者，中国美术品制作类之，故能如是娴雅。（国旗之大红为象征，但只有国旗为大红纯色，当愈显凸出。）迨西洋物质进步，提炼颜色为纯色，吾国工商业中，不加调和使用，于是染绸布悉用纯黄纯绿，纯青纯紫（各国少有），目之所接，使人发昏，硬不接受遗产之一种效果，就会觉得后退不少。不是遗产，固可抛弃，是件遗产何必拒绝？但是这种情况，已经存在几十年了。

1950 年 12 月 1 日

紫 兰

61cm×41cm　1941 年

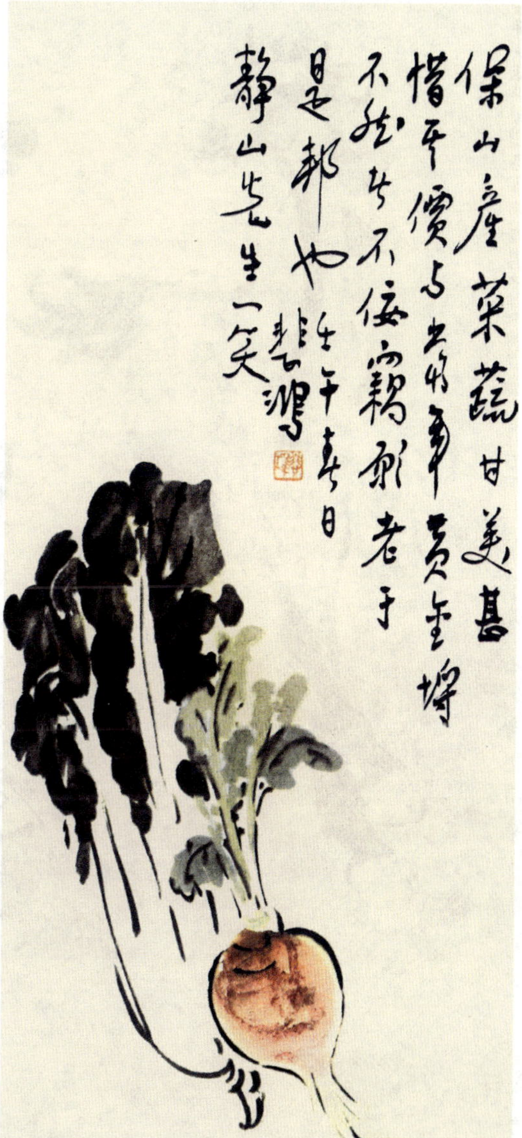

白菜萝卜

68cm × 26cm　1942 年

群 奔
95cm × 181cm　1942 年

柏 树

69cm × 34cm　1942 年

我对于敦煌艺术之看法

中华民族原较东西文明各民族少宗教意识。自汉通西域，引佛教东来，更乘六朝丧乱孔多之际，佛教得以昌盛。于是为宗教服务之艺术，改变形式，大受印度影响。其中士大夫阶级，尚有守中国原来传统之作品（如顾恺之《〈女史箴〉图》、展子虔《游春图》等，假定它们都是真迹），若六朝之洞窟艺术如云冈、龙门、天龙山之属（宾阳洞高刻已建立中国风格），大抵皆染印度影响甚深。因佛教此时极发达，既刊划佛教，用其形式，当不可避免。只建筑仍中国风格，因印度用石，中国用木，虽已无六朝建筑存在，但唐建尚有，以唐推断六朝，想能仿佛。绘画则由汉人丹青，发展到唐之极度壮丽完备，我可约略与印度做一比较。

吾国古人好言印度犍陀罗艺术，以我游印亲眼所见，此染有希腊坏影响之北印度艺术，可以谓之希、印两族合瓦之艺术，因其全无希腊、印度之优美，而适有各个之缺点也。此可由上海土山湾教士传授中国人油画得一概念，其中国人所画之作品，全是中西合瓦，毫无意识！印度美术与中国美术时代兴衰有相同之点，即其上古甚有创造力（阿育王时代）（西汉），中衰历五、六世纪，而极盛于七、八、九世纪（唐代）。如今日印度之伟大作品若 Elephanta，Mawaripuram，Elora 等地所存之雕刻，Ajanta 之壁画，彼之极盛时代，与我国之极盛时代精神一致，即民族形式之形成；以印度 Elephanta 象庙及 Elora 之西梵天主伉俪浮雕（希腊王四世纪标准），与犍陀罗艺术之在北印 Taxila（不久以前发掘出一世纪左右古城），以及拉合尔等大城市各大博物院所藏古雕刻相比，其精粗真如珠玉之于瓦砾！因我所见大小不下数千件犍陀罗作品，三等以上之物未得见一件。若象庙之三面像及 Elora 雕刻，伟大精妙，则是奇观，可与埃及、希腊杰作比拟也。此犍陀罗风格之被中国接受，遂致中国失去汉人简朴而活跃之风格，形成一种拙陋木强之情调。迨唐代中国性格形成，始有瑰丽之制。故敦煌盛唐作品，其精妙之程度，殆过于印度 Ajanta 壁画。

吾国自汉及宋千年文物大都毁坏，文献不足徵，幸有敦煌洞窟保存得数百件完整壁画与雕刻，可考见吾国各时代之风格与兴衰之迹。而最重要，唐代中国文艺高峰之存于绘事者，可约略窥见一斑，为吾人想象不可得见之吴道子、王维高妙作品之助，而又证明借助他山，必须自有根基，否则必成两片破瓦，合之适资人笑柄而已，徵之印度与吾国皆有明例也。又魏时之喃喃派（Archaisme，亦可称之未成熟之山林情调）不能比汉之喃喃派，因汉代雕刻之到达武梁祠境界，如人之已能语言，差足表情，若降而又返回喃喃情调，则有如患脑膜炎而哑者之语言表情，显出病态。故敦煌北魏之飞天，不足比辽阳汉画，而盛唐供养人，则可考见中国绘画之大成。合以历世所遗卷轴观之，治中国中古艺术史，得过半矣。

（原载1951年5月31日北京《文物参考资料》第二卷第四期）

与丁楚谈艺术

一、请画“八骏图”

去年夏天，曾接到战士的来信；要我画一幅“八骏图”。当时，我又兴奋、又焦急，兴奋的是战士们的可爱，不但克服困难，而且还这样热爱艺术，焦急的是，我乃躺在病床上，连起身都不成，更不能作画。

后来，我虽几次勉强起床，想画成一幅“八骏图”寄去，但每次都无力的躺下。后来只得将一张旧作四匹马的照片寄去，并由我口述，有静文代笔写了一封抱歉的信，告诉他们，只要身体一复原，马上就画了寄去。所以在养病时间，我总惦念记着把画画成，一了夙愿。

二、画画不马虎

今年一月起，开始试笔，为战士画八骏图，但总是画不成。后来改为画单匹奔马。为什么画单幅马？第一，我的气力不能画大幅的八骏图，只好画单幅的，凑在一起总算实践了我对英雄们的诺言。再说，我画画，总不肯马虎，特别是送给志愿军的；所来，我现在虽然只寄出了六幅，实际上我已经画了二三十幅。那六幅是从这几十幅里挑出来的。

三、大饱眼福

算一算，在北京举行过多少次国际性和全国性的艺术展览会？当然，这也是我们住在北京的人特有的眼福。比如“敦煌文物展览”、“楚文物展览”和在北京历史博物馆、故宫博物院等地方举办的多次盛大展览。这些展览会一次比一次办得好，一次比一次丰富，也一次比一次解决了更多的文化艺术史上的问题。我从每次展览会上都得到很多启示：比如这次“楚文物展览”，使我更清楚地认识到，古代文化是可以分成商周和楚两大系统的。商周文物主要的表现在铜器上。而漆器呢？虽然黄河流域也盛行，但今天我们有理由认为是从楚地传去的，绘画与漆器应该是有些因缘的。这次楚文物展览中，我们又见到一幅两千三百年前的绢画，这也足以证明当时的楚文化站在时代的前列。

四、稀世之珍

近年来社会风气大变；收藏家把许多传家之宝捐献给国家，最重要的如虢季子白盘（我国现有的最大的古代青铜器），其他的古文物、善本书不计其数。另一方面，政府也尽力收购重要文物，以免散失损毁。如五代顾闳中的《韩熙载夜宴图》和隋朝展子虔的山水卷子。这些稀世之珍，过去总是流来流去的，今天总算回到人民手里。

五、亲自教素描

今年暑假，学院曾办了一个进修班，参加进修学习的有各地来的教授、讲师和美术工作者，我每星期去讲两次关于素描的课程。时间虽然只一个多月，但是，大家的热情很高，要求进步的心很切，所以成绩很好。这些现象，都是过去我们不能想象的。

六、只想作画

我只想，好好地画些画，——哦！还有，想到南方去走走，看看许多多年不见的老朋友。

（摘录自丁楚《拜望徐悲鸿先生》一文）

（据1953年8月31日香港《文汇报》）

红　梅

99cm × 33cm　1943 年

红梅喜鹊

80cm × 31cm　1946 年

奔 马

109cm × 54cm 1951 年

国家新闻出版广电总局
首届向全国推荐中华优秀传统文化普及图书

‖大家小书书目

经典常谈	朱自清　著
语言与文化	罗常培　著
习坎庸言校正	罗　庸　著　杜志勇　校注
鸭池十讲（增订本）	罗　庸　著　杜志勇　编订
古代汉语常识	王　力　著
国学概论新编	谭正璧　编著
文言尺牍入门	谭正璧　著
日用交谊尺牍	谭正璧　著
敦煌学概论	姜亮夫　著
训诂简论	陆宗达　著
金石丛话	施蛰存　著
常识	周有光　著　叶　芳　编
文言津逮	张中行　著
中国字典史略	刘叶秋　著

古典目录学浅说　　来新夏　著

闲谈写对联　　白化文　著

怎样使用标点符号（增订本）　　苏培成　著

诗境浅说　　俞陛云　著

唐五代词境浅说　　俞陛云　著

北宋词境浅说　　俞陛云　著

南宋词境浅说　　俞陛云　著

人间词话新注　　王国维　著　滕咸惠　校注

苏辛词说　　顾　随　著　陈　均　校

诗论　　朱光潜　著

唐诗杂论　　闻一多　著

诗词格律概要　　王　力　著

唐宋词欣赏　　夏承焘　著

槐屋古诗说　　俞平伯　著

词学十讲　　龙榆生　著

词曲概论　　龙榆生　著

中国古典诗歌讲稿　　浦江清　著

浦汉明　彭书麟　整理

唐人绝句启蒙	李霁野　著
唐宋词启蒙	李霁野　著
古典文学略述	王季思　著　王兆凯　编
古典戏曲略说	王季思　著　王兆凯　编
唐宋词概说	吴世昌　著
宋词赏析	沈祖棻　著
道教徒的诗人李白及其痛苦	李长之　著
闲坐说诗经	金性尧　著
陶渊明批评	萧望卿　著
舒芜说诗	舒　芜　著
名篇词例选说	叶嘉莹　著
唐诗纵横谈	周勋初　著
楚辞讲座	汤炳正　著 汤序波　汤文瑞　整理
好诗不厌百回读	袁行霈　著
山水有清音 ——古代山水田园诗鉴要	葛晓音　著

门外文谈	鲁　迅　著
我的杂学	周作人　著　张丽华　编
论雅俗共赏	朱自清　著
文学概论讲义	老　舍　著
中国文学史导论	罗　庸　著　杜志勇　辑校
给少男少女	李霁野　著
鲁迅批判	李长之　著
英美现代诗谈	王佐良　著　董伯韬　编
三国谈心录	金性尧　著
夜阑话韩柳	金性尧　著
英语学习	李赋宁　著
漫谈西方文学	李赋宁　著
历代笔记概述	刘叶秋　著
笔祸史谈丛	黄　裳　著
古典诗文述略	吴小如　著
有琴一张	资中筠　著
鲁迅作品细读	钱理群　著
唐宋八大家——古代散文的典范	葛晓音　选译

红楼梦考证	胡　适　著
《水浒传》与中国社会	萨孟武　著
《西游记》与中国古代政治	萨孟武　著
《红楼梦》与中国旧家庭	萨孟武　著
《金瓶梅》人物	孟　超　著　张光宇　绘
水泊梁山英雄谱	孟　超　著　张光宇　绘
《红楼梦》探源	吴世昌　著
《西游记》漫话	林　庚　著
细说红楼	周绍良　著
红楼小讲	周汝昌　著　周伦玲　整理
曹雪芹的故事	周汝昌　著　周伦玲　整理
古典小说漫稿	吴小如　著
三生石上旧精魂 ——中国古代小说与宗教	白化文　著
《金瓶梅》十二讲	宁宗一　著
古体小说论要	程毅中　著
近体小说论要	程毅中　著
文学的阅读	洪子诚　著
中国戏曲	么书仪　著

中国史学入门	顾颉刚　著　何启君　整理
秦汉的方士与儒生	顾颉刚　著
三国史话	吕思勉　著
史学要论	李大钊　著
中国近代史	蒋廷黻　著
民族与古代中国史	傅斯年　著
五谷史话	万国鼎　著　徐定懿　编
民族文话	郑振铎　著
史料与史学	翦伯赞　著
唐代社会概略	黄现璠　著
清史简述	郑天挺　著
两汉社会生活概述	谢国桢　著
中国文化与中国的兵	雷海宗　著
两宋史纲	张荫麟　著
明史简述	吴　晗　著
北宋政治改革家王安石	邓广铭　著
从紫禁城到故宫——营建、艺术、史事	单士元　著
史学遗产六讲	白寿彝　著

司马迁之人格与风格	李长之　著
司马迁	季镇淮　著
唐王朝的崛起与兴盛	汪　篯　著
二千年间	胡　绳　著
论三国人物	方诗铭　著
考古发现与中西文化交流	宿　白　著
中国古代国家的历史特征	张传玺　著
艺术、神话与祭祀	张光直　著 刘　静　乌鲁木加甫　译
中国古代衣食住行	许嘉璐　著
中国古代史学十讲	瞿林东　著

黄宾虹论画	黄宾虹　著
中国绘画史	陈师曾　著
和青年朋友谈书法	沈尹默　著
中国画法研究	吕凤子　著
桥梁史话	茅以升　著
中国戏剧史讲座	周贻白　著
俞平伯说昆曲	俞平伯　著　陈　均　编

新建筑与流派　童　寯　著

论园　童　寯　著

拙匠随笔　梁思成　著　林　洙　编

中国建筑艺术　梁思成　著　林　洙　编

沈从文讲文物　沈从文　著　王　风　编

中国画的艺术　徐悲鸿　著　马小起　编

中国绘画史纲　傅抱石　著

中国舞蹈史话　常任侠　著

海上丝路与文化交流　常任侠　著

世界美术名作二十讲　傅　雷　著

中国画论体系及其批评　李长之　著

金石书画漫谈　启　功　著　赵仁珪　编

吞山怀谷

——中国山水园林的艺术　汪菊渊　著

中国古代音乐与舞蹈　阴法鲁　著　刘玉才　编

梓翁说园　陈从周　著

旧戏新谈　黄　裳　著

民间年画十五讲　王树村　著　姜彦文　编

民间美术与民俗　王树村　著　姜彦文　编

长城史话	罗哲文　著
中国古园林概说	罗哲文　著
现代建筑奠基人	罗小未　著
世界桥梁趣谈	唐寰澄　著
如何欣赏一座桥	唐寰澄　著
桥梁的故事	唐寰澄　著
园林的意境	周维权　著
万方安和 ——皇家园林的故事	周维权　著
现代建筑的故事	吴焕加　著
中国古代建筑概说	傅熹年　著
国学救亡讲演录	章太炎　著　蒙　木　编
简易哲学纲要	蔡元培　著
大学教育	蔡元培　著 北大元培学院　编
老子、孔子、墨子及其学派	梁启超　著
中国政治思想史	吕思勉　著
天道与人文	竺可桢　著　施爱东　编

春秋战国思想史话	嵇文甫　著	
晚明思想史论	嵇文甫　著	
新人生论	冯友兰　著	
中国哲学与未来世界哲学	冯友兰　著	
谈美书简	朱光潜　著	
中国古代心理学思想	潘　菽　著	
民俗与迷信	江绍原　著	陈泳超　整理
佛教基本知识	周叔迦　著	
儒学述要	罗　庸　著	杜志勇　整理
希腊漫话	罗念生　著	
佛教常识答问	赵朴初　著	
大一统与儒家思想	杨向奎　著	
孔子的故事	李长之　著	
西洋哲学史	李长之　著	
乡土中国	费孝通　著	
社会调查自白	费孝通　著	
经学常谈	屈守元　著	
墨子与墨家	任继愈　著	
汉化佛教与佛寺	白化文　著	
中西之交	陈乐民　著	

出版说明

“大家小书”多是一代大家的经典著作，在还属于手抄的著述年代里，每个字都是经过作者精琢细磨之后所拣选的。为尊重作者写作习惯和遣词风格、尊重语言文字自身发展流变的规律，为读者提供一个可靠的版本，“大家小书”对于已经经典化的作品不进行现代汉语的规范化处理。

提请读者特别注意。

北京出版社